PraxisWissen

Recovery und Empowerment

Psychiatrie Verlag

ANDREAS KNUF, Jahrgang 1966, Diplom-Psychologe und Psychologischer Psychotherapeut, langjährige Tätigkeit in der stationären und ambulanten psychiatrischen Versorgung, arbeitet in eigener Praxis und in der Fortbildung. Zahlreiche Veröffentlichungen. Auf seiner Homepage, www.andreas-knuf.de, finden sich weitere Materialien zu Empowerment und Recovery.

PraxisWissen

Andreas Knuf

Recovery und Empowerment

Psychiatrie Verlag

Die Reihe **Praxis**Wissen wird herausgegeben von:
Michaela Amering, Andreas Bechdolf, Michael Eink,
Caroline Gurtner, Klaus Obert und Tobias Teismann

Andreas Knuf
Recovery und Empowerment
PraxisWissen 8
Neuausgabe 2020
ISBN: 978-3-96605-073-9
ISBN E-Book (PDF): 978-3-96605-074-6
ISBN E-Book (EPUB): 978-3-96605-075-3
Bibliografische Information der Deutschen Nationalbibliothek
Die Deutsche Bibliothek verzeichnet diese Publikation in der Deutschen Nationalbibliografie; detaillierte bibliografische Daten sind im Internet über http://dnb.d-nb.de.

Lektorat: Uwe Britten, Eisenach
Umschlagkonzeption und -gestaltung: studio goe, Düsseldorf,
unter Verwendung eines Fotos von belchonock / iStock.com
Typografiekonzeption und Satz: Iga Bielejec, Nierstein
Druck und Bindung: Westermann Druck Zwickau

Empowerment, Recovery und die eigene Arbeitszufriedenheit – Einleitung 7

Was ist »Empowerment« und was »Recovery«? 11

Wie werden Menschen wieder gesund? 16

Was ist Gesundheit und was Krankheit? 16

Wie verlaufen Genesungswege? 17

Hoffnung und Zuversicht 20

Ressourcenorientiert arbeiten 26

Warum arbeiten wir überhaupt defizitorientiert? 29

Was sind Ressourcen? 32

Ein ressourcenorientiertes Klima schaffen 34

Ressourcenorientierung als Haltungsfrage 39

Selbstbestimmung fördern und ermöglichen 42

Selbstbestimmung ist ein Recht, aber keine Pflicht 43

Selbstbestimmung will gelernt sein 45

Umgang mit Klientenentscheidungen 50

Verletzung des Selbstbestimmungsrechts 57

Empowerment bzw. Recovery und Psychopharmaka 68

Psychopharmaka und Selbsthilfe 69

Information zu mehr Selbstbestimmung 73

Förderung von Eigenaktivität 81

Selbstwirksamkeitsgefühl 83

Grundrecht auf »minimale Aktivität« 85

Grundhaltung: passive Aktivität 87

Professionelle Hindernisse für Eigenaktivität 89

Gründe für Passivität 95

Individuelle Selbsthilfe und Selbsthilfe in Gruppen 100
Den individuellen Selbsthilfemöglichkeiten auf der Spur 101
Viele Selbsthilfemöglichkeiten sind störungsspezifisch 102
Selbsthilfe in Gruppen 107

Informationen vermitteln 112
Grundprinzipien von Aufklärung und Informationsvermittlung 114
Psychoedukative Gruppen 117
Wissen über Genesung 121

Selbststigmatisierung überwinden 123
Was ist Selbststigmatisierung? 123
Professionelle Strategien gegen Selbststigmatisierung 126
Stigmatisierung in psychiatrischen Institutionen 128

Das Annehmen der eigenen Person und der Erkrankung 132
Was bedeutet Akzeptanz? 132
Krankheitsfolgen annehmen 135

Mitarbeit von Betroffenen in Einrichtungen und Gremien 140
Partizipation von Betroffenen in Gremien 143
Beschwerdestellen und Patientenfürsprecher 147
Mut zur Fehlerkultur 148

Schluss und Ausblick:
Neue Rollenidentität der professionell Tätigen 151

Literatur 154

Internetadressen und Onlinematerialien 159
Betroffenenorganisationen 159
Materialien 159
Podcast 160

Empowerment, Recovery und die eigene Arbeitszufriedenheit – Einleitung

Frau G. lebt schon seit fünf Jahren in einem Wohnheim und soll täglich in die Werkstatt gehen. Sie sagt selbst, dass ihr das eigentlich guttut, aber sobald es in der Werkstatt nur die kleinste Veränderung gibt, gerät sie unter massiven Stress und lässt sich gleich mal für drei Wochen krankschreiben. Früher hat sie öfter Besuche im Ort gemacht und hatte ein Stammcafé, in dem sie am Wochenende viel Zeit verbrachte, aber auch da geht sie nun nicht mehr hin. Selbst im Wohnheim zieht sie sich mehr und mehr zurück, nimmt teilweise nur noch widerwillig an Hausversammlungen teil und erscheint öfter auch nicht mehr zu den Mahlzeiten. Eine Medikamentenumstellung hat keine Veränderung ihres Verhaltens bewirkt. Die Mitarbeitenden sind zunehmend frustriert und reagieren zuweilen schon ärgerlich auf Frau G.

Herr H. kommt regelmäßig alle vier bis fünf Wochen zu einem Gespräch in den Sozialpsychiatrischen Dienst. Die Gespräche laufen immer gleich ab: Herr H. beklagt sich über Gott und die Welt, vor allem über seine Ex-Frau, die ihn vor nun schon fast zwanzig Jahren verlassen hat, und über seine Kinder, die ihn so selten besuchten. Die Mitarbeiterin ist ratlos, denn sie hört ihm schon einige Jahre zu, ohne dass es irgendeine Veränderung gegeben hätte. Sie erlebt Herrn H. ganz rückwärtsgewandt, denn anstatt in seinem Alltag etwas zu verändern, schimpft er lieber. Neulich hat sie ihn gefragt, ob er denn nicht einfach traurig darüber sei, dass seine Beziehung in die Brüche gegangen und er nun so viel allein sei. Ganz kurz bemerkte sie dann einen feuchten Film auf seinen Augen, doch schon ging das Geschimpfe gleich wieder los. »Wie schade«, denkt die Mitarbeiterin und sehnt das Ende des Gesprächs herbei.

Recovery- und empowermentorientiert zu arbeiten ist eine große Herausforderung für alle psychiatrisch Tätigen. Es klingt auf den ersten Blick so einfach und fachlich selbstverständlich, »ressourcenorientiert« zu arbeiten, Selbstbestimmung zu fördern oder Hoffnung zu stiften – in der alltäglichen Begegnung mit den Klientinnen und Klienten ist all das manchmal verdammt schwierig. Es erfordert eine engagierte Arbeit und ein hohes Maß an Selbstreflexion, denn der Sog in Richtung Defizitorientierung und Fremdbestimmung bis hin zur Resignation auch aufseiten der Helfenden ist enorm.

Und doch: Es ist lohnenswert, diese Herausforderungen anzunehmen. Plötzlich stellt sich auch bei uns selbst ein ganz neues Gefühl in der Arbeit heraus. Und eigentlich haben wir doch auch gar keine andere Wahl, denn die in diesem Buch beschriebenen hilfreichen Einflussfaktoren wie die Förderung von Selbsthilfe und Selbstbestimmung, Ressourcenaktivierung, Vermittlung von Hoffnung und partnerschaftliche Beziehungsgestaltung sind nach allem, was wir heute wissen, dringend erforderlich, um Klienten zu einem zufriedeneren Leben zu verhelfen – und das wollen wir doch erreichen.

In manchem hat sich die psychiatrische Arbeit in den letzten Jahrzehnten deutlich weiterentwickelt. Recovery und Empowerment sind heute Ausrichtungen, die viele psychiatrische Institutionen für sich beanspruchen und an denen sie sich zu orientieren versuchen. Vieles, was vor Jahrzehnten noch undenkbar erschien, ist heute vielerorts selbstverständlich: Peerbegleiter arbeiten zunehmend in psychiatrischen Einrichtungen mit, Zwangsmaßnahmen werden deutlich kritischer gesehen als noch vor Jahrzehnten, die mit Medikamenten verbundenen Risiken werden nicht länger totgeschwiegen, an rein medizinische Erklärungen psychischer Erkrankungen glaubt kein Mensch mehr. Dennoch gibt es weiterhin viele strukturelle Bedingungen, die eine empowerment- und recoveryorientierte Haltung und Arbeitsweise erschweren. Beispiele dafür sind etwa der Zwang zum Defizitblick und zur Pathologisierung, den Geldgeber ausüben, da andernfalls eine Kostenübernahme gefährdet ist, oder die zunehmende Bürokratisierung und Dokumentationspflicht, die für echte Beziehungsarbeit immer weniger Raum lässt.

Dieses Buch basiert auf Arbeitsmaterialien, die ich gemeinsam mit Betroffenen und anderen Fachpersonen in den letzten rund zwanzig Jahren entwickelt habe und die in Fortbildungen, Supervisionen und Teamentwicklungen genutzt werden. In diesen Veranstaltungen habe ich immer wieder gesehen, dass viele Mitarbeiterinnen und Mitarbeiter psychiatrischer Institutionen bereit sind, ernst zu machen mit der Empowerment- und Recoveryförderung. Sie hinterfragen kritisch ihre berufliche Rolle und ihren Arbeitsalltag, erproben neue Methoden und sind offen dafür, den Betroffenen mit ihren Anregungen und mit ihrer Kritik zuzuhören. Die Förderung von Empowerment und Recovery ist heute ein zentrales Anliegen weiter Kreise vor allem der Sozialpsychiatrie.

Wer sich auf den Weg macht, sein fachliches Handeln stärker an Konzepten von Empowerment und Recovery auszurichten, wird die Erfahrung machen, dass sich die Beziehung zum Klienten vertieft und es mehr Miteinander gibt. Das gilt auch und vielleicht sogar gerade für jene Klientinnen und Klienten, die wie die erwähnten Frau G. und Herr H. nur schwer zu erreichen sind und selbst zunächst kein Interesse an Empowerment und Recovery zu haben scheinen. Dabei ermutigen die in diesem Buch beschriebenen Ansätze zu einer veränderten Beziehungsgestaltung und auch zu einer neuen Gelassenheit, denn vielfach brauchen wir Helfenden uns gar nicht so anzustrengen, wie wir es tun, manchmal geht es sogar eher um ein Loslassen und um ein

Abgeben von Kontrolle. Wer dies in seiner psychiatrischen Tätigkeit erfährt, erreicht nicht zuletzt auch ein ganz neues Maß an eigener Arbeitszufriedenheit. Damit führt die Recoveryorientierung sogar zum Empowerment der psychiatrisch Tätigen selbst.

Andreas Knuf

Was ist »Empowerment« und was »Recovery«?

Der Begriff »Empowerment«, der sich mit »Selbstbefähigung« oder »Selbstbemächtigung« übersetzen lässt, entstammt den amerikanischen Emanzipationsbewegungen, etwa der Black-Power-Bewegung. Gesellschaftlich unterlegene Gruppen waren nicht länger bereit, die ihnen widerfahrene Diskriminierung zu akzeptieren. Sie erarbeiteten sich ein neues Selbstbewusstsein, schlossen sich zusammen und lehnten sich auf gegen die erlebte Unterdrückung. Empowerment meint also die Zurückgewinnung von Stärke und den Einfluss betroffener Menschen auf ihr eigenes Leben sowie eine Emanzipation der Betroffenen selbst. Wie kann es einem psychiatrieerfahrenen Menschen gelingen, wieder mehr Einfluss über sein Leben zu gewinnen, Gefühle von Machtlosigkeit zu überwinden und seine Erkrankung zu bewältigen? Zu Empowerment gehören Elemente wie Selbstbestimmung, Selbsthilfe und gesellschaftliche Teilhabe.

Während das eigentliche Empowerment nur von den Betroffenen selbst vollbracht werden kann, kommt den professionell Tätigen die Aufgabe zu, Empowermentprozesse zu fördern und durch das Beseitigen von Hindernissen überhaupt erst zu ermöglichen. Beispielsweise geht es um die wirkliche Bereitschaft, Behandlungsangebote nach den Anliegen der Nutzerinnen und Nutzer zu gestalten, Macht zu teilen oder »ungewöhnliche« Lebensweisen weitestgehend zu würdigen. Mit dieser Empowermentunterstützung beschäftigt sich das vorliegende Buch.

In den letzten Jahren wurde der Begriff »Empowerment« fast inflationär gebraucht, zumeist ohne dass der emanzipatorische Aspekt noch enthalten wäre. Es gibt heute kaum eine psychiatrische Institution, die ihn nicht in ihr Leitbild aufgenommen hätte. Leider hat sich mit der häufigeren Verwendung des Begriffs aber nicht zwangsläufig auch die psychiatrische Arbeit »empowermentorientierter« gestaltet. Um Empowerment nicht zu einer Worthülse, einem »modischen Fortschrittsetikett«, wie es Norbert Herriger einmal formuliert hat, verkommen zu lassen, muss der damit verbundene Inhalt möglichst konkret und alltagsnah vermittelt werden. Das ist die Aufgabe dieses Buches.

Viele der in den letzten Jahren entwickelten Formen der Empowermentförderung wenden sich in erster Linie an Betroffene, die von sich aus ein Interesse an der persönlichen Befähigung haben. Aufgabe professionell Tätiger ist es, diesen Menschen ein möglichst hohes Maß an Selbstbestimmung zu ermöglichen, sie beim Nutzen ihrer Selbsthilfemöglichkeiten zu begleiten und ihnen die von ihnen eingeforderte nutzerorientierte Behandlung anzubieten. Aber auch einem zweiten Bereich darf sich Empowermentförderung nicht verschließen, und zwar jenen Menschen, die von sich aus zunächst nicht an vermehrter Eigenaktivität und Selbstbestimmung interessiert sind. Hier geht es darum, »empowermentermöglichend« zu arbeiten, ohne Empowerment zu verordnen. Das vorliegende Buch hat beide Betroffenengruppen vor Augen, hauptsächlich allerdings jene Menschen, die ihr eigenes Empowerment bisher kaum entfalten konnten, die sich vielleicht in einem Gefühl von Machtlosigkeit befinden und Fremdhilfe als eher passive Hilfeempfänger erwarten. Hier zeigt sich die eigentliche Herausforderung für die Empowermentförderung.

Der englische Begriff »Recovery« könnte mit »Genesung« oder »Wiedererlangung von Gesundheit« übersetzt werden, ein wirklich treffender deutschsprachiger Begriff ist noch nicht gefunden. Die ersten Vertreter des Recoveryansatzes waren Betroffene, die von professioneller Seite als »austherapiert« und »chronisch psychisch krank«

bezeichnet wurden, die sich mit dieser negativen Prognose aber nicht abfanden und wider Erwarten gesundeten. Sie schlossen sich zusammen, um auf den ihrer Meinung nach demoralisierenden Pessimismus aufmerksam zu machen, den die Psychiatrie verbreitet, und nach Bedingungen zu suchen, die darüber entscheiden, ob es einem langzeitkranken Menschen gelingt, wieder ein zufriedenes Leben zu führen. In Ländern wie Neuseeland, Kanada, Schottland oder einzelnen Staaten der USA ist die Recoveryidee zu dem zentralen Anliegen reformorientierter Fachpersonen sowie von Betroffenenvertretern geworden. Im deutschsprachigen Raum haben sich Trialog- und Recoverybewegung gegenseitig befruchtet, und auch hier ist das Recoverykonzept zu einem zentralen Anliegen nutzerorientierter psychiatrischer Behandlung geworden. Dabei handelt es sich nicht um ein einheitliches Konzept, sondern eher um eine Sammlung zentraler Haltungs- und Handlungselemente für eine sozialpsychiatrische Praxis.

Im Recoveryansatz wird die Genesung in den Mittelpunkt der psychiatrischen Arbeit gerückt, wobei Genesung nicht als Symptomfreiheit verstanden wird, sondern ein Weg hin zu einem freudvolleren und zufriedeneren Leben. Recovery stellt einen Prozess der Auseinandersetzung des Betroffenen mit sich selbst und seiner Erkrankung dar, der dazu führt, dass die Person trotz ihrer psychischen Probleme in der Lage ist, ein hoffnungsvolles und aktives Leben zu führen. Recovery ist mehr als »nur« die Bewältigung von Symptomen, auch bedeutet es nicht unbedingt vollständige »Heilung«, denn in den meisten Fällen besteht die Erkrankung bzw. Verletzlichkeit fort, der Betroffene führt aber trotzdem ein zufriedenes Leben. Es geht also darum, den negativen Einfluss einer psychischen Erkrankung zu überwinden, obwohl sie weiterhin anhält. Recovery bedeutet die Veränderung einer Person durch die Erkrankung. Nicht: »Früher war ich gesund, zwischendurch war ich krank, jetzt bin ich wieder gesund und genauso wie früher.«

Sondern: »Mit mir ist etwas passiert, ich bin nicht mehr derselbe wie vor der Erkrankung.«

Während die Behandlungsziele der klassischen Psychiatrie vor allem Symptomreduktion und Krisenprophylaxe beinhalten, zielt der Recoveryansatz verstärkt auf subjektive Variablen wie Zufriedenheit und Lebensqualität. Die Betroffenen möchten nicht nur ihre Symptome loswerden, sondern sie möchten ein zufriedenes Leben führen – wie jeder andere auch.

Einige der wichtigsten Unterschiede zwischen einer recovery- und empowermentorientierten Arbeitsweise und dem eher klassischen Ansatz psychiatrischer Arbeit finden sich in Tabelle 1.

TABELLE 1

Vergleich des Recoveryansatzes mit dem Konzept der klassischen Psychiatrie

	Empowerment / Recoveryansatz	Klassische Psychiatrie
Ziele	Ein zufriedenes, selbstbestimmtes und erfülltes Leben; Inklusion; Gesundung	Symptomreduktion, Rückfallprophylaxe, berufliche Wiedereingliederung
Perspektive	Zufriedenes Leben ist für alle Betroffenen möglich, manchmal gelingt auch eine völlige Gesundung	Keine »falschen Hoffnungen« machen; »vita minima« muss hingenommen werden; wer keine Symptome hat, kann froh sein
Hilfen	Alle Hilfen, die das Wohlbefinden, die individuelle Bewältigung der Erkrankung und die Auseinandersetzung damit fördern; Peersupport erhält hohe Bedeutung	Klassisches psychiatrisches Angebot; Fokus auf Medikation
Hoffnung, Zuversicht	Wird als Voraussetzung und wichtiger Entwicklungsschritt für Recovery verstanden; ihre Förderung ist Auftrag für die professionelle Arbeit	Bezieht sich vor allem auf die Wirkung der Medikamente und der übrigen Behandlung
Selbsthilfe	Selbsthilfe ist zentral für den Recoveryprozess, ohne Selbsthilfe ist Recovery nicht möglich; Selbsthilfeförderung ist selbstverständliches Element jedes Behandlungsangebots	Selbsthilfe wird von professioneller Seite wenig unterstützt
Selbstbestimmung	Ist zentral, um Motivation zu fördern und dem Klienten zu helfen, seinen eigenen Werten und Lebensvorstellungen zu folgen; Wahlmöglichkeiten erleichtern den Recoveryprozess	Psychisch kranke Menschen sind nur zu bedingter Selbstbestimmung in der Lage

Wie werden Menschen wieder gesund?

Was ist Gesundheit und was Krankheit?

Ein zentrales Element des Recoveryansatzes ist, dass er die gängigen Vorstellungen von Gesundheit und Krankheit infrage stellt. Meistens gehen wir davon aus, dass es sich um Gegensätze handelt. Entweder bin ich gesund, dann kann ich nicht krank sein. Oder ich bin krank, dann kann ich nicht gesund sein. Die Weltgesundheitsorganisation (WHO) hat den Gegensatz von Gesundheit und Krankheit auf die Spitze getrieben, indem sie 1947 »Gesundheit« als »vollkommenes physisches, geistiges und soziales Wohlbefinden« definierte. Mit dieser Definition hat sie uns jedoch alle zu Kranken gemacht, denn wer kann einen solchen Zustand länger als wenige Stunden oder Tage aufrechterhalten? Mit einer solchen strengen Abgrenzung wird die Welt recht einfach und überschaubar: Es gibt die (kranken) Patienten und die (gesunden) Mitarbeiter und Angehörigen. Es gibt auch diejenigen, die es geschafft haben, zu genesen, und jene, die wohl ewig krank bleiben werden. Es gibt eben die hoffnungsvollen und die hoffnungslosen »Fälle«.

Eine solche Vorstellung von Gesundheit und Krankheit deckt sich nicht mit der Wirklichkeit und sie ist obendrein inhuman. Gerade diese dichotomisierte Wahrnehmung (gesund – krank, wertvoll – wertlos, früher – heute) wird im Recoveryansatz aufgehoben. Eine moderne Definition hilft uns weiter, um besser zu verstehen, was Gesundheit und Gesundung eigentlich bedeuten könnten. Sie stammt von »Sesam«, einem großen Schweizer Forschungsprojekt. Dort heißt es: »Gesundheit ist nicht ein Leben ohne psychische Probleme und Krankheiten, sondern vielmehr, dass Menschen damit möglichst gut umgehen und leben können.« Es ist eben »stinknormal«, sich nicht immer gut zu fühlen, sich manchmal im Bett verstecken zu wollen, am eigenen Wert zu zweifeln, sich mit Arbeit, Einkaufen, Alkohol oder Ähnlichem zu betäuben oder manchmal antriebslos zu sein. Jeder Mensch kennt die eine oder andere psychische Krise.

Die Überwindung der Unterscheidung von »gesund« und »krank« ist ein zentraler Schritt zum Verständnis von Recovery. Sich davon zu lösen fällt Fachleuten, Angehörigen und Betroffenen gleichermaßen schwer. Betroffene und Angehörige müssen sich von der häufigen Idealisierung »Früher, bevor ich krank war, war alles gut und genau so soll es wieder werden« lösen und Fachleute verlieren ohne die klare Unterscheidung unter anderem schnell ihre Orientierung, denn Gesundheit versus Krankheit ist die grundlegende Unterscheidung von »professionell Tätigem« versus »Klient« und von »Hilfsbedürftigem« versus »Helfendem«. Ein Beitrag in dieselbe Richtung ist die Betonung der anthropologischen, zutiefst menschlichen Aspekte psychischer Erkrankungen im Rahmen des Trialogs – als Kontrapunkt zu einer rein psychopathologischen Betrachtung.

Wie verlaufen Genesungswege?

Fachleute in den USA haben in Zusammenarbeit mit einer großen Gruppe Betroffener ein Modell erarbeitet, das beschreibt, welche Schritte für einen Gesundungsprozess speziell bei langzeitkranken psychiatrieerfahrenen Menschen erforderlich sind (Ralph u. a. 2004):

- Zunächst ist der betroffene Mensch nur in seinem Leiden gefangen. Er ist verzweifelt, fühlt sich hoffnungslos, leidet unter negativen Gedanken, ist oft sozial isoliert und erlebt sein Leben nicht mehr als sinnhaft. Diese erste Phase wird als »Verzweiflung« bezeichnet.
- Irgendwann kann es dazu kommen, dass dieser Mensch eine Ahnung davon bekommt, wie es auch anders sein könnte. Das Leiden

wird bewusster als solches wahrgenommen, und es tauchen Zweifel daran auf, ob es ewig so bleiben muss (»Erwachen«).

- Anschließend wird aus dieser vagen Vorstellung eine konkretere und sicherere Überzeugung. Erste kleine Veränderungsschritte werden unternommen. Der Betroffene nimmt wieder mehr Kontakt mit anderen Menschen auf und seine Gedanken werden positiver und von Hoffnung geprägt (»Erkenntnis, dass Gesundung möglich ist«).
- Im Weiteren wird der betroffene Mensch zunehmend aktiver, sucht nach aufbauenden sozialen Kontakten und erprobt, wie er Einfluss auf seine psychischen Schwierigkeiten nehmen kann (»Umsetzung«).
- Später festigt sich die Zuversicht immer mehr. Die Überzeugung wächst, dass Gesundung nicht nur möglich ist, sondern nach und nach auch geschehen wird. Der Betroffene versteht, dass es von seiner Seite eines großen Engagements bedarf, um seine Genesung weiter zu fördern (»Entschiedenes Engagement für die eigene Gesundung«).
- In der letzten Phase, die »Wohlbefinden und Empowerment« heißt, haben die Betroffenen ein sehr positives Selbstgefühl. Sie können auftretende weitere Krisen akzeptieren, fühlen sich ihnen aber nicht mehr ausgeliefert. Sie empfinden ihr Leben als sinnhaft und wählen Freundinnen und Freunde aus, die ihren Interessen entsprechen.

ABBILDUNG 1

Gesundungswege (Recoverymodell von RALPH u. a. 2004)

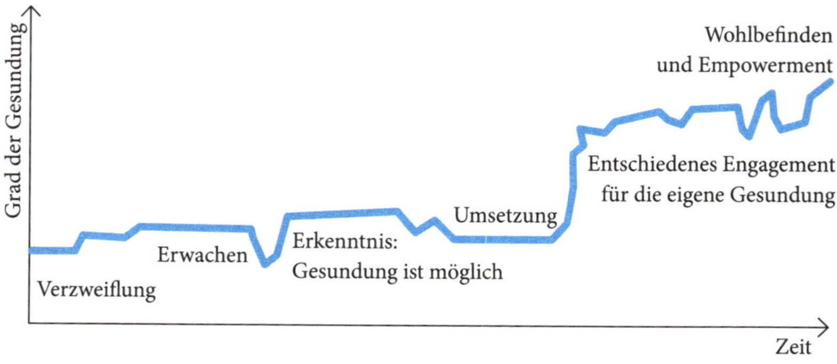

In Diskussionen mit Betroffenen über dieses Modell habe ich immer wieder gehört, wie wichtig die Phase des Erwachens für den eigenen Gesundungsprozess ist. Manchmal wird sie als wirklicher Wendepunkt erlebt, manchmal vollzieht sie sich auch weniger wahrnehmbar. Doch wodurch dieses Erwachen gefördert und wodurch es behindert wird, darüber schweigt sich die psychiatrische Forschung bisher fast vollkommen aus.

Aus diesem Modell habe ich persönlich gelernt, dass sich ein Gesundungsweg zunächst nicht an einem veränderten Verhalten des Betroffenen erkennen lässt. Anfangs ist eine Verhaltensänderung meistens viel zu angstauslösend und der Betroffene hält lieber an gewohnten Mustern fest. Ein verändertes Verhalten zeigt sich erst *im Laufe* eines Gesundungsprozesses. Dieses Verständnis ist für Fachleute besonders wichtig, weil es hilft, die Hoffnung aufrechtzuerhalten, auch wenn von außen zunächst noch kein verändertes Verhalten zu erkennen ist.

Oft ereignen sich bei Klienten scheinbar plötzliche Wachstumsschritte, vom Umfeld wird dann nach einer zeitnahen Ursache für diese positive Veränderung gesucht. Dabei handelt es sich aber zumeist um den jetzt auch äußerlich sichtbar werdenden Ausdruck eines inneren Veränderungsprozesses, der bis dahin im Verborgenen ablief. Die Phase »Entschiedenes Engagement für die eigene Gesundung« ist die vielleicht herausforderndste Phase überhaupt. Der Betroffene erkennt nun, dass er die Genesung nicht »umsonst« bekommt, sondern selbst einen sehr großen Beitrag dazu leisten muss. Meistens muss er seinen Alltag und seinen Lebensentwurf verändern, um die mit der Erkrankung verbundenen Einschränkungen, Verluste etc. zu bewältigen. Er ist jetzt bereit, alles in seinen Möglichkeiten Stehende zu tun, um seine Einflussmöglichkeiten auf weitere Krisen zu nutzen und um sich psychische Stabilität zu erhalten. Was andere Menschen über ihn denken und ob er Erwartungen seiner Umgebung erfüllt oder auch nicht, all das muss erst einmal zurücktreten zugunsten der inneren Ausrichtung, dass die Vertiefung der Genesung für ihn das vielleicht Wichtigste im Leben überhaupt ist.

Hilfreiche Fragen für Fallarbeit und Supervision:

Fähigkeiten entdecken!

Der Empowermentansatz geht davon aus, dass zahlreiche Fähigkeiten der Betroffenen von ihnen selbst und von professionell Tätigen nur unzureichend wahrgenommen und gewürdigt werden. Diese Fähigkeiten liegen nicht selten brach oder zeigen sich nur in Ausnahmesituationen.

- Welche Fähigkeiten hat sich der Betroffene durch sein Leben mit seiner Erkrankung angeeignet?
- Welche Fähigkeiten muss der Betroffene haben, ohne die ihm seine bisherigen Lebenserfolge und die Bewältigung seiner Erkrankung nicht gelungen wären?
- Über welche Fähigkeiten des Betroffenen war die Bezugsperson schon einmal verblüfft bzw. was war ihm nicht zugetraut worden?
- Was kann der Betroffene, wofür er von anderen bzw. vom professionell Tätigen bewundert wird?
- Welche Fantasien haben die professionell Tätigen über die unerwarteten Fähigkeiten des Betroffenen?

Hoffnung und Zuversicht

Besonders hervorgehoben wird von vielen Betroffenen, wie wichtig Hoffnung und die Förderung von Hoffnung für den Gesundungsprozess ist. Jemand handelt erst dann, wenn er Hoffnung auf Veränderung sieht, andernfalls wird er passiv bleiben und sich in sein Schicksal fügen (Deegan 1996 a). Betroffene betonen, wie hilfreich für sie Menschen ihrer Umgebung waren, die an sie geglaubt haben, die die Hoffnung nicht verloren haben und ihnen damit eine Art »stellvertretende Hoffnung« vermitteln konnten. Fachpersonen sollten sich darüber im Klaren sein, dass ihre Hoffnung etwas zählt. Wenn sie die Hoffnung auf Veränderung bei ihren Klienten aufgeben, dann ist vielleicht alle Hoffnung verloren.

PROGNOSEN Wie aber sähe eine Haltung von vernünftigem Optimismus aus anstelle von demoralisierendem Pessimismus? Sie wäre an der Realität ausgerichtet, vielleicht sogar ein kleines bisschen positiver als die Realität, eben offen für Möglichkeiten. Sie dürfte nicht unrealistisch positiv sein und würde nichts versprechen. Andernfalls entstünden eben doch »falsche« Hoffnungen, die wiederum demoralisierend wirken können, wenn sie sich als unerfüllbar erweisen. Auf keinen Fall aber sollte das Umfeld eine Position einnehmen, die negativer ist als es die Realität vorgibt. So werden Mut und Hoffnung zerstört.

Die Geschichte der prognostischen Einschätzung psychiatrischer Erkrankungen ist leider in weiten Teilen eine Geschichte von demoralisierendem Pessimismus. Ein Beispiel ist die Einschätzung von Emil Kraepelin, die Schizophrenie führe zu einer »vorzeitigen Verblödung«, oder die bis in die Siebzigerjahre aufrechterhaltene Einschätzung, die Schizophrenie nehme meistens einen negativen Ausgang. Aber auch in der Gegenwart ist dieser Pessimismus weiterhin aktiv, etwa in der immer noch zu findenden Einschätzung, Borderlinebetroffene seien nicht behandelbar.

Die davon betroffenen Personen wehren sich zu Recht auch gegen individuelle negative Prognosen wie »Sie werden nie wieder arbeiten können« oder »Sie werden immer Medikamente nehmen müssen«. Prognosen basieren lediglich auf statistischen Wahrscheinlichkeiten. Dadurch lässt sich für den Einzelfall nie eine sichere Prognose abgeben. Individuelle Prognosen sind wissenschaftlich nicht haltbar! Es ist fachlich unsinnig und menschlich verwerflich, etwa einer jungen, erstmalig an einer Psychose erkrankten Schauspielerin zu sagen, sie werde nie wieder auf einer Bühne stehen können, oder einer Psychologiestudentin mit Panikattacken vorzuschlagen, ihr Studium abzubrechen, da sie mit ihrer Erkrankung nie therapeutisch werde arbeiten können. Betroffene merken sich solche Einschätzungen nur allzu gut. Immer wieder treffe ich auf Menschen, denen vor zehn oder vielleicht schon vor zwanzig Jahren eine solche Prognose gestellt wurde und die diese bis heute nicht vergessen können. Traumatisch haben sich solche Einschätzungen manchmal in das Gedächtnis eingebrannt. Die Betroffenen können dann die damaligen Worte des Behandlers teilweise noch im Wortlaut wiedergeben.

HOFFNUNG Nach meiner Erfahrung ist die Übersetzung »Hoffnung« für das englische Wort »hope« zwar korrekt, stößt aber bei vielen nicht das an, was im Recoveryansatz damit gemeint ist. Der Begriff »Hoffnung« wird sehr unterschiedlich empfunden. Für manche ist er nicht kraftvoll, sondern eben »das letzte Fünkchen Hoffnung«. Gemeint ist jedoch ein ganz starkes Zutrauen, dass es dem Betroffenen wieder besser gehen könnte.

Von Milton Erickson, dem bekannten und erfolgreichen amerikanischen Psychotherapeuten, wird berichtet, dass er einen unverbrüchlichen Optimismus in die Veränderungsmöglichkeiten von Menschen gehabt habe und sich bei jedem Klienten und jeder Klientin habe vorstellen können, wie er oder sie weniger leidvoll leben könnte. Auch deshalb scheinen seine Therapien von einem beeindruckenden Erfolg gekennzeichnet gewesen zu sein. Ein solch unverbrüchlicher Optimismus ist gemeint, wenn es im Recoveryansatz um »hope« geht. Der Begriff »Zuversicht« oder auch »Vertrauen« ist meiner Erfahrung nach besser geeignet, um dessen Inhalt zu beschreiben. Vorsicht ist jedenfalls dabei geboten, dem Klienten gegenüber den Begriff »Hoffnung« überhaupt zu verwenden, da man nicht sicher sein kann, dass der Klient diesen Begriff tatsächlich ermutigend versteht.

ZUVERSICHT Wie kann es gelingen, dass sich Fachpersonen ihre Zuversicht und ihr Vertrauen erhalten und den Klienten beides auch vermitteln? Es gibt verschiedene Fähigkeiten, die uns dabei helfen. Zentral sind zum Beispiel Geduld, die Würdigung kleiner Schritte und die Fähigkeit, Krisen nicht als Katastrophen zu verstehen (dann verliere ich bei einer erneuten Krise nämlich alle Hoffnung). Hoffnung zu vermitteln ist nicht in erster Linie eine Frage der Worte. Es geht um mehr, als den Klienten immer wieder zu sagen: »Ich glaube, dass Sie das schaffen werden.« Das mag zwar sinnvoll sein, Zuversicht zu vermitteln ist jedoch in erster Linie eine Frage der Haltung. Betroffene spüren sehr genau, ob Fachpersonen tatsächlich Hoffnung haben oder nur davon sprechen.

Zuversicht aufrechtzuerhalten ist recht einfach bei Klientinnen und Klienten, die sichtbare Entwicklungsschritte machen. Schon schwieriger ist es bei denjenigen, die schon länger auf der Stelle treten, und besonders schwierig ist es bei Menschen, denen es zunehmend schlechter geht. Hoffnung ist ansteckend und ebenso Hoffnungslosigkeit.

Fachpersonen müssen sensibel dafür bleiben, wenn sie sich von der Hoffnungslosigkeit des Umfelds oder auch der Betroffenen selbst anstecken lassen. Teams sollten sehr achtsam registrieren, wenn sie die Zuversicht für die Arbeit mit einem Klienten verlieren. Es gibt Techniken, die hilfreich sind, um Zuversicht zurückzugewinnen. Manchmal kann beispielsweise ein Bezugspersonenwechsel sinnvoll sein, oft hilft ein kurzes Brainstorming über die Stärken des Klienten, um wieder eine zuversichtlichere Haltung zu gewinnen.

Werden genesene Betroffene danach befragt, welche Faktoren für ihren Gesundungsweg wichtig waren, so werden neben »Zuversicht« noch verschiedene andere Faktoren genannt (Amering & Schmolke 2012). Besonders viele schildern, wie wichtig die soziale Integration war, also andere Menschen, mit denen sie sich verbunden gefühlt haben. Daher ist der Recovery- und Empowermentansatz eng verzahnt mit dem Thema der Inklusion und hat sich schon seit Jahrzehnten intensiv mit dem Abbau der Stigmatisierung beschäftigt. Sozialer Ausschluss, oft durch Stigmatisierung mitbedingt, verhindert Genesungsprozesse.

Insgesamt zeigt sich in diesen Untersuchungen auch, dass der Einfluss der professionell Tätigen auf die Genesungsprozesse ihrer Klienten zumeist deutlich überschätzt wird. Betroffene nennen vor allem Formen einer guten innerpsychischen Verarbeitung ihrer Erkrankung und sehr alltagsnahe Einflussfaktoren, wie etwa die erwähnte gute soziale Integration. Daher werden professionell Tätige durch den Recoveryansatz auch zur Bescheidenheit ermahnt.

In den folgenden Kapiteln werden einige Aspekte, die für das persönliche Empowerment und den Genesungsprozess von Bedeutung sind, genauer beschrieben. Dazu gehört beispielsweise die Aktivierung von Ressourcen der Klienten, die Förderung von Eigenaktivität, ein möglichst hoher Grad an Selbstbestimmung sowie der Abbau der Selbststigmatisierung.

Die zentralen Botschaften von Recovery lauten:

Gesundung ist auch bei schweren psychischen Erkrankungen möglich!

Mit Gesundung ist gemeint, dass die Erkrankung ganz abklingt oder die Betroffenen gut mit ihrer Erkrankung leben können. Gesundung ist auch nach längerer Krankheitszeit möglich.

Ohne Hoffnung geht es nicht!

Hoffnung auf eine positive Entwicklung ist ein zentraler Faktor, der darüber entscheidet, ob Gesundungsprozesse in Gang kommen. Neben der Hoffnung der Betroffenen ist auch die der Angehörigen und der Fachpersonen zentral.

Jeder Gesundungsweg ist anders!

Verschiedene Menschen brauchen unterschiedlich viel Zeit für Gesundungsschritte. Jeder Mensch muss seinen eigenen Weg finden.

Gesundung ist kein linearer Prozess!

Sie ist nicht systematisch und planbar, vielmehr kann es plötzliche positive Veränderungen geben, aber auch Stillstand und Rückschritte sind möglich.

Gesundung geschieht, auch wenn Symptome fortbestehen oder Krisen auftreten!

Gesundung bedeutet nicht zwangsläufig vollkommene Symptom- und Krisenfreiheit. Krisen und Symptome treten aber seltener auf und sind weniger belastend.

Krankheit und Gesundung verändern den Menschen!

Durch die Erkrankung verändert sich der Betroffene. Gesundung bedeutet nicht, wieder genauso wie vor der Erkrankung zu sein.

Gesundung ist mit, ohne oder trotz professioneller Hilfe möglich!

Fachliche Unterstützung ist nur ein Faktor unter vielen, der Gesundung fördern kann.

Ressourcenorientiert arbeiten

Der Begriff »Ressource« ist seit geraumer Zeit in aller Munde und fehlt in keinem Leitbild psychiatrischer Einrichtungen. Viele Betroffene machen allerdings die Erfahrung, dass in diesen Institutionen weiterhin eher defizitorientiert gedacht und gehandelt wird, dass Betroffene auf ihre Krankheit reduziert werden und dass viel zu wenig nach dem gefragt wird, was in ihrem Leben gut gelingt und wo ihre Stärken liegen. Professionelle psychiatrische Arbeit sieht sich also mit einem Widerspruch zwischen Selbstverständnis und Wahrnehmung durch die Nutzerinnen und Nutzer konfrontiert.

Ressourcenorientiert zu arbeiten bedeutet nicht, Defizite zu verleugnen. Klienten kommen nicht aufgrund ihrer Fähigkeiten zu uns, sondern aufgrund der Tatsache, dass sie mit ihren Ressourcen nicht in der Lage waren, die psychischen Schwierigkeiten allein zu lösen. Klienten wollen durchaus auch mit ihren Schwierigkeiten und Problemen gesehen werden. Wer ein »Ich komme morgens nicht aus dem Bett und bin dann den ganzen Tag unzufrieden« umdeutet in »Sie schaffen es, sich gut und lange zu entspannen«, der nimmt das Leid der Klienten nicht ernst. Defizite sind auch in einer ressourcenorientierten Arbeitsweise Thema, aber eben nicht ausschließlich.

Wer einem Menschen helfen möchte, seine Probleme zu lösen, dem bleibt gar nichts anderes übrig, als sich mit seinen Fähigkeiten zu beschäftigen. Ohne Fähigkeiten lassen sich keine Probleme lösen. Daher ist es unsinnig, dem Problem mehr Aufmerksamkeit zu schenken als den Fähigkeiten, die zur Lösung notwendig sind. Ressourcenorientiert zu arbeiten bedeutet mithin, die Schwierigkeiten und die Fähigkeiten genauestens zu betrachten und dem Klienten zu helfen, jene Fähigkeiten wahrzunehmen und einzusetzen, die zur Lösung des Problems hilfreich sein können.

Im psychiatrischen Alltag zeigt sich eine defizitorientierte Arbeitsweise in vielen Abläufen: Im Aufnahmegespräch einer Klinik wird der Patient nur zur Krankheitsanamnese und Symptomatik befragt. In der Teambesprechung eines Wohnheims werden nur Bewohner besprochen, bei denen es aktuell Schwierigkeiten gibt. Das Formular einer Pflegeplanung ist so aufgebaut, dass die Ressourcen eines Patienten als letzter Punkt erhoben werden und dass kaum Platz dafür vorgesehen ist. Der Sozialhilfeträger verlangt im Rehabilitationsplan eine ausführliche Schilderung der Defizite; werden zu viele Fähigkeiten angegeben, so besteht die Gefahr, dass die Kostenübernahme abgelehnt wird.

Aber auch ressourcenorientiertes Arbeiten ist im Alltag vielfach zu erkennen: In Tagesstätten, Werkstätten oder Rehabilitationseinrichtungen werden die spezifischen Fähigkeiten der Klienten gezielt gefördert. Es gibt Berufsgruppen, die besonders ressourcenorientiert arbeiten, Ergo- und Arbeitstherapeuten beispielsweise. Sie sind zur Ressourcenorientierung geradezu gezwungen, da sie über Tätigkeiten in Kontakt mit dem Klienten stehen und gemeinsam mit ihm arbeiten, was immer ein Aktivieren von Fähigkeiten bedeutet.

Umgekehrt stehen andere Berufsgruppen in der Gefahr einer eher defizitorientierten Wahrnehmung. Dies gilt beispielsweise für Ärzte, deren Aufgabe es unter anderem ist, eine psychiatrische Diagnose zu stellen. Wer diagnostiziert, legt seine Aufmerksamkeit bewusst auf Defizite und Symptome, denn aus dem gemeinsamen Vorhandensein bestimmter Symptome ergibt sich erst die Diagnose. Untersuchungen zeigen beispielsweise, dass vor allem Ärzte und Psychologen sogar gesunden Klienten psychiatrische Diagnosen geben (Lauber u. a. 2006).

Je genauer wir den Blick auf das Verhalten oder die psychischen Schwierigkeiten von Menschen richten, desto schwieriger wird es, Ressourcen und Defizite voneinander zu trennen. Letztlich gibt es überhaupt kein Defizit oder keine Ressource »an sich«, sondern das Verhalten eines Menschen wird erst in Bezug auf eine Situation zu einem Problem oder zu einer Kompetenz. Ein zwanghafter Persönlichkeitszug etwa kann bei einer Sicherheitsfirma zu den Einstellungsvoraussetzungen gehören, in der Partnerschaft aber zu massiven Problemen führen. Vieles von dem, was wir heute als Defizit bezeichnen, galt in anderen Zeiten nicht als Defizit, sondern als normal oder eventuell sogar als Stärke. Auch stellt sich die Frage, wer ein Defizit als Defizit oder eine Ressource als Ressource definiert. Ist es die Fachperson oder der Betroffene selbst oder vielleicht sein soziales Umfeld?

Viele psychiatrische Symptome erscheinen uns heute als Defizite, bei genauerem Hinsehen stellen sie sich aber als sinnvolle Bewältigungsstrategien und Überlebensmechanismen heraus, sind also sogar Ausdruck von Ressourcen. Sozialer Rückzug etwa kann vor überhandnehmenden Sinnesreizen schützen, Selbstverletzungen können unerträgliche innere Spannungszustände abbauen oder gar anstelle eines Suizidversuchs eingesetzt werden. Diese Sichtweise ist für eine ressourcenorientierte Arbeit wichtig. Es geht nämlich darum, aktuelles Verhalten und Erleben nicht nur »wegzumachen«, zu verändern, sondern zunächst auch zu würdigen und als sinnhaft zu verstehen. Das erst ist die Voraussetzung dafür, Klienten nicht als »Mängelwesen« zu sehen, sondern die überall durchscheinenden Selbstheilungskräfte und Selbsthilfestrategien wahrzunehmen und daraus eine ressourcenorientierte Haltung zu gewinnen. So wissen wir erst durch die umfangreiche Forschung zu Traumafolgen, dass viele Verhaltensweisen psychiatrischer Klientinnen und Klienten letztlich natürliche Folgen erlittener Traumata sind, die ihnen das Ertragen eines Traumas überhaupt erst ermöglicht haben.

Ressourcenorientierte Arbeit zeigt sich sowohl in der professionellen Haltung, in der institutionellen Atmosphäre und in den genutzten Techniken:

- Wie können wir uns eine Haltung bewahren, aus der heraus wir den Glauben an die Fähigkeiten unserer Klienten nie aus den Augen verlieren, auch bei langzeitkranken Menschen oder bei Klienten, bei denen sich gegenwärtig keine Fortschritte zeigen?
- Wie können wir eine Atmosphäre schaffen, in der Ressourcen genutzt werden und Wachstum gelingen kann?
- Wie können wir den Klienten helfen, ihre eigenen Fähigkeiten und äußeren Ressourcen wieder wahrzunehmen, zu würdigen und zu nutzen?

Eine ressourcenorientierte Arbeitsweise tut Klienten wie Mitarbeitern gut. Für Mitarbeitende bedeutet sie häufig mehr Freude bei der Arbeit, außerdem bildet sie eine wichtige Burn-out-Prophylaxe. Burn-out ist oft die Folge einer an Defiziten orientierten Arbeit – beispielsweise werden in Teambesprechungen häufig viele Stunden mit den aktuell schwierigen Klienten verbracht und manchmal noch nicht einmal wenige Minuten für gegenwärtige positive Entwicklungen. Wer über Jahre so arbeitet, der wird zunehmend entmutigt, weil er zu wenige Erfolge seiner Arbeit wahrnimmt.

Warum arbeiten wir überhaupt defizitorientiert?

Der erste Schritt einer verstärkt ressourcenorientierten Arbeit besteht darin, anzuerkennen, wie defizitorientiert im psychiatrischen Alltag häufig gearbeitet wird. Es gibt verschiedene Gründe für diesen defizitorientierten Arbeitsstil:

1. Wir müssen unsere Klienten für unsere Geldgeber »krankdenken«.

Defizite sind die Eintrittskarte zu professionellen Hilfeleistungen. Ohne Defizite beim Klienten bezahlt niemand die Hilfe. Geldgeber verlangen die differenzierte Beschreibung von Defiziten. Das schärft entsprechend den professionellen Blick dafür. Gerade in den letzten Jahren hat sich der Trend zum »Krankdenken« verstärkt. Beispielsweise ist ein Grund für die Zunahme von Doppeldiagnosen schlicht die Tatsache, dass Geldgeber dann eher bereit sind, eine professionelle Maßnahme zu finanzieren oder zu verlängern.

2. Wir verallgemeinern ausgehend von unseren Klienten in akuten Krisensituationen bzw. von langzeitkranken Menschen auf alle Betroffenen.

Getreu dem Motto »Aus den Augen, aus dem Sinn« wird unsere Einschätzung psychischer Erkrankungen verständlicherweise von jenen Menschen geprägt, mit denen wir im Alltag zu tun haben. Das sind aber entweder Menschen in akuten Krisensituationen oder langzeitkranke Personen. So sinkt bei professionell Tätigen oftmals die Wahrnehmung für positive Verläufe oder für die letztlich doch gar nicht so schlechte Prognose einer psychischen Erkrankung.

3. Die Psychiatriegeschichte hat ihre Spuren hinterlassen.

Ressourcenorientierte Arbeit ist im psychiatrischen Bereich eine sehr junge Haltung. Über Jahrhunderte hinweg wurden psychisch kranke Menschen nur als Defizitwesen gesehen, ihnen wurde nichts zugetraut und wenig zugebilligt. Die fälschliche Annahme von Emil Kraepelin, die Schizophrenie führe zu einem vorzeitigen Abbau des kognitiven Leistungsvermögens, ist Ausdruck hiervon und nur ein Beispiel der defizitorientierten Psychiatriegeschichte.

4. Der zunehmende Zeitmangel in der psychiatrischen Arbeit führt zu einer Problemfokussierung.

Wenn man aus Zeitnot nicht mehr alles schaffen kann, beschäftigt man sich nur noch mit den drängendsten Problemen. Zur Würdigung positiver Verläufe fehlt die Zeit, Klienten, die nicht groß auffallen, laufen nur noch »mit«.

Diese Liste erhebt keinen Anspruch auf Vollständigkeit. Ich möchte damit lediglich zeigen, dass es viele verschiedene Gründe für den defizitorientierten Arbeitsstil psychiatrischer Institutionen gibt und dass dieser Arbeitsstil sehr tief verankert ist. Er lässt sich nicht durch neu formulierte Leitbilder ändern, sondern nur durch eine sehr ehrliche und mutige Selbstwahrnehmung professionell Tätiger und durch einen allmählichen, prozesshaften Wandel.

Selbstverständlich gibt es auch beim professionell Tätigen ganz persönliche Hindernisse für eine ressourcenorientierte Arbeit, die viel mit der Lebensgeschichte oder der aktuellen Situation zu tun haben. Beispielsweise fällt eine ressourcenorientierte Arbeit vor allem mit jenen Klienten schwer, die uns aus welchen Gründen auch immer unsympathisch sind. Bei Menschen, denen gegenüber wir mit einer negativen Gegenübertragung reagieren, sehen wir eher Defizite als Fähigkeiten oder stellen eine negative Prognose. Ähnliches gilt für unsere eigenen Stimmungen: Sind wir selbst in einer negativen Stimmung, dann nehmen wir häufig auch unsere Klienten negativ wahr. Solche persönlichen Hindernisse sollten uns bewusst sein. Dann wird es möglich, zu entscheiden, welches Teammitglied am besten mit welchem Klienten arbeitet. Bei Mitarbeitern psychiatrischer Institutionen ist immer wieder ein hoher Grad an Burn-out zu beobachten, der dann oft zu einer eher defizitorientierten Wahrnehmung und zu einem defizitorientierten Arbeitsstil führt. Das wiederum erhöht das Burn-out-Risiko, da Erfolge weniger wahrgenommen und gewürdigt werden.

5. Nicht nur die Psychiatrie ist defizitorientiert, sondern unsere ganze Gesellschaft.

Unsere Gesellschaft ist in weiten Teilen eher defizit- als ressourcenorientiert. Viele Mitarbeitende sind ebenfalls defizitorientiert sozialisiert (»Nicht geschimpft ist genug gelobt«). In den letzten Jahren hat im Rahmen der zunehmenden Selbstoptimierung und des zunehmenden Perfektionismus der kritische Blick vor allem auf die eigene Person teilweise sogar noch zugenommen.

Was sind Ressourcen?

Es gibt eine Vielzahl menschlicher Ressourcen und zu oft sind sie uns als psychiatrisch Tätige nicht bewusst. Um uns im Alltag an Ressourcen orientieren zu können, helfen einige gezielte Fragen: Welche Ressourcen des Klienten kenne ich bereits und welche Lebensbereiche betreffen sie? Über welche Bereiche habe ich hingegen kaum Informationen? Was würde ich gerne wissen, wonach sollte ich den Klienten beim nächsten Mal fragen? Was hält er selbst für seine Stärken?

Sinnvoll ist zunächst die Unterscheidung zwischen äußeren und inneren Ressourcen.

ÄUSSERE RESSOURCEN Äußere Ressourcen beziehen sich entweder auf soziale Kontakte oder auf materielle Möglichkeiten. Ein Freund kann so eine Ressource sein oder eine Nachbarin, mit der man regelmäßig redet oder die bei Abwesenheit die Blumen gießt. Besonders zu erwähnen sind hier Familienmitglieder, die auch dann noch zu dem Betroffenen stehen, wenn viele andere Bekannte ihren Kontakt bereits abgebrochen haben. Und auch die fachliche Hilfe gehört zu diesen äußeren Ressourcen. Beispiele für eher materielle Ressourcen sind finanzielle Rücklagen oder eine angemessene Rente, eine Wohnung, in der sich jemand wohlfühlt, Dinge, die eine besondere Bedeutung haben wie eine CD-Sammlung, ein Auto oder der Führerschein.

INNERE RESSOURCEN Innere Ressourcen sind Fähigkeiten und Eigenschaften der Person, die ihn tragen und ihm hilfreich sein können. Beispiele sind etwa das Interesse an Musik oder andere Hobbys, also Dinge und Tätigkeiten, die der Person Spaß machen. Ebenso gehören intellektuelle Fähigkeiten, Sprachkenntnisse, wichtige positive Erfahrungen und Erinnerungen dazu, außerdem Humor, ein sympathisches Auftreten oder eine gute Introspektionsfähigkeit.

»QUELLE« All die oben genannten Fähigkeiten und äußeren Ressourcen helfen niemandem, wenn er nicht weiß, warum er sie überhaupt einsetzen soll. Warum lohnt es sich für mich, weiterzuleben? Aus welchem Antrieb heraus werde ich überhaupt aktiv? Durch was erlebe ich mein Leben als lebenswert? Was gibt es, für das sich mein Engagement lohnt? Was ich hier »Quelle« nenne, könnte auch als »Bedeutsamkeit« bezeichnet werden, wie dies von Aaron Antonovsky in seinem Salutogeneseansatz genannt wird (Antonovsky 1997). Hierunter sind Erfahrungen tiefer Freude und Verbundenheit mit sich selbst zu fassen, ebenso spirituelle Erfahrungen oder eine als sinnhaft erlebte Tätigkeit. Was ist jemandem wirklich wichtig im Leben? Für viele Menschen sind das beispielsweise der Lebenspartner oder die Kinder: »Wenn ich nicht für meine Tochter da sein müsste, hätte ich mir schon längst das Leben genommen«, so kann man psychisch Kranke manchmal sagen hören. Auch Haustiere bilden für viele Menschen eine wichtige Quelle, überhaupt jede Form des »Gebrauchtwerdens«.

Meistens wissen Fachpersonen relativ viel über externe, weniger aber über innere Ressourcen und kaum etwas über die »Quelle«. Ein Gespräch über innere Ressourcen setzt in der Arbeit Vertrautheit und Vertrauen voraus, und das gilt noch verstärkt für das Sprechen über diese Quelle, die oft ein wohlgehütetes Geheimnis ist. Fachleute, die aufsuchende Arbeit leisten, haben es hier deutlich leichter als etwa Mitarbeiter stationärer Einrichtungen. In der Wohnung des Betroffenen sagen Einrichtungsgegenstände, Fotos, Andenken etc. viel über die Fähigkeiten des Klienten aus und ein Gespräch darüber ist dort viel leichter möglich als im Patientenzimmer einer psychiatrischen Klinik.

Ein ressourcenorientiertes Klima schaffen

Wer ressourcenorientiert arbeiten möchte, der braucht Kriterien, um feststellen zu können, ob er auf dem richtigen Weg ist. Diese Kriterien für einen ressourcenorientierten Arbeitsstil sollen möglichst konkret und alltagsnah sein, nur so können sie in der täglichen Arbeit genutzt werden. Nicht nur professionell Tätige, sondern natürlich auch Betroffene und Angehörige stehen in der Gefahr, immer wieder einem defizitorientierten Blick zu verfallen. Alltagsnahe Kriterien helfen professionell Tätigen dabei, eine erhöhte Sensibilität dafür zu entwickeln, ob und wie ressourcenorientiert gearbeitet werden kann. Die folgenden Punkte, angelehnt an eine Aufstellung von Matthias HERMER (2001), scheinen mir hilfreich:

- Sie lachen gemeinsam mit ihrem Patienten.
- Sie wissen viel über Interessen, Stärken, soziale Netzwerke und wichtige positive Erfahrungen des Patienten.
- Sie wissen, worauf ihr Patient stolz ist.
- Sie wissen, was sie an ihrem Patienten bewundern bzw. wovor sie großen Respekt haben.
- Sie sprechen im Team nicht nur von schwierigen Patienten, sondern auch von günstigen Prognosen.
- Es gibt Gespräche, in denen kaum über Probleme gesprochen wird.
- Sie geben dem Patienten in der Begegnung mit ihnen die Chance, von etwas mehr Ahnung zu haben als sie selbst.

- Sie fühlen sich am Ende der Therapiestunde eher gestärkt als »geschlaucht«.

Umgekehrt lassen sich natürlich auch Kriterien für einen eher defizitorientierten Arbeitsstil finden, etwa wenn Mitarbeitende kaum etwas über die Fähigkeiten ihrer Klienten wissen, keine Hoffnung auf positive Veränderung beim Klienten haben oder wenig Freude am Kontakt empfinden. Auch das Übernehmen von Aufgaben, die der Klient selbst bewältigen könnte, zeigt einen defizitorientierten Arbeitsstil.

SELBSTREFLEXION

Woran erkennen Sie selbst in Ihrem Arbeitsalltag, dass sie gerade ressourcenorientiert arbeiten?

Ressourcenorientierte Fragen

Vor allem in der systemischen und lösungsorientierten Therapie werden häufig ressourcenorientierte Fragen eingesetzt. Ziel dieser Fragen ist es, den Blick des Klienten zu weiten für seine Fähigkeiten, für positive Ausnahmen und für Gelingendes in seinem Leben. Häufig zielen sie auch darauf ab, eine »Verstörung« zu bewirken, die dadurch erreicht wird, dass die Frage in dieser Form nicht erwartet wurde. Beispielsweise wird der Klient gefragt: »Wann haben Sie das Problem nicht?« Er ist es möglicherweise gewöhnt, im Rahmen einer psychiatrischen Anamnese zu allen Einzelheiten seines Problems befragt zu werden: »Wann ist es besonders stark?«, »Wie äußert sich die Depression ganz genau?«, »Ist es morgens schlimmer oder abends?« etc. Wenn der Klient nun danach befragt wird, wann sein Problem *nicht* auftritt, dann richtet er seine Wahrnehmung verstärkt auf die Ausnahmen und damit teilweise schon auf die Lösung. Denn wenn es gelingen würde, die Ausnahme auszuweiten, zur Regel werden zu lassen, dann wäre das Problem ja gelöst.

Beispiele für solche ressourcenorientierten Fragen sind folgende (angelehnt an Weiss & Haertel-Weiss 2008):

- Wann haben Sie das Problem nicht?
- Was ist der Unterschied zwischen Situationen, in denen das Problem existiert, zu solchen, in denen es nicht vorkommt?
- Was müsste geschehen, damit die Ausnahmen häufiger werden?
- Woran würden Sie merken, dass es Ihnen bessergeht?
- Woran würde es Ihre Umgebung bemerken?
- Die Wunderfrage: Stellen Sie sich vor, es geschieht ein Wunder und Ihr Problem ist verschwunden. Woran bemerken Sie und Ihre Umgebung das genau?
- Was haben Sie schon alles getan, um Ihr Problem zu lösen, bevor Sie zu mir gekommen sind?
- Wie stellen Sie es an, dass Ihr Problem nicht noch größer wird?
- Wie sind Sie aus der letzten Krise wieder herausgekommen?
- Was haben Sie selbst dazu beigetragen?

Solche Fragen müssen im Alltag mit Bedacht eingesetzt werden. Sie dürfen nicht dazu dienen, den Schwierigkeiten des Klienten aus dem Weg zu gehen oder unangenehme Gefühle zu vermeiden. Dann können sie beispielsweise einen auf dem Recoveryweg oft notwendigen Trauerprozess behindern. Vor allem sind die Fragen immer auf den jeweiligen Patienten und seine aktuelle Situation abzustimmen. Andernfalls passiert das, was oft passiert: Klienten verstehen die Fragen entweder gar nicht, denn all diese Fragen setzen eine hohe kognitive Flexibilität und ein gewisses Maß an Abstand vom eigenen Problem voraus, oder Klienten fühlen sich mit ihren Problemen nicht hinreichend ernst genommen und finden, dass ihre Probleme bagatellisiert werden. Das wiederum kann zu einem Teufelskreis führen: Mitarbeitende wollen ressourcenorientiert arbeiten und stellen dazu passende Fragen oder betonen die Ressourcen des Klienten; der Klient hingegen fühlt sich mit seinem Problem nicht gesehen und betont sein Problem noch mehr, um vom professionell Tätigen damit wahrgenommen zu werden. Dies wiederum bestätigt die Fachperson in ihrer Überzeugung, der Klient sei nur defizitorientiert und brauche dringend eine ressourcenorientiertere Wahrnehmung. Und so weiter.

Neben diesen ressourcenorientierten Fragen der systemischen Therapie gibt es natürlich zahlreiche sehr leicht verständliche und alltagsnahe Fragen, die ein Gespräch über Fähigkeiten, Interessen, positive Ereignisse etc. einleiten können. Diese Fragen werden im Alltag vielfach benutzt, geraten aber in Stresssituationen immer wieder in Vergessenheit. Daher seien sie hier als Erinnerungshilfe erwähnt:

- Wann haben Sie zum letzten Mal gedacht: Jetzt wird alles wieder besser?
- Wann haben Sie sich in letzter Zeit gut gefühlt? Wann ging es Ihnen das letzte Mal nicht ganz so schlecht?
- Was können Sie besonders gut?
- Worauf sind Sie stolz?
- Welche Hobbys haben Sie? Welche Hobbys hatten Sie früher?
- Von welchem dieser Hobbys haben Sie schon mal überlegt, es wieder aufzunehmen?
- Was macht Ihnen Spaß? Was hat Ihnen früher Spaß gemacht?
- Was war Ihr schönstes Erlebnis in letzter Zeit? Was war Ihr schönstes Erlebnis in Ihrem Leben?
- Zu welcher Tageszeit geht es Ihnen am besten?
- Was würden Sie gerne mal wieder erleben? Wie war das damals für Sie, als Sie das getan haben?
- Welches war die beste Zeitspanne in Ihrem Leben?
- Was ist Ihnen in dieser Zeit alles gelungen?

Auch diese Fragen dürfen nicht routinemäßig eingesetzt werden, sondern müssen auf den jeweiligen Klienten und seine aktuelle Situation abgestimmt sein. Beispielsweise verbieten sich ressourcenorientierte Fragen bei schwer depressiven Klienten. Menschen in einer schweren Depression sind aufgrund ihrer Erkrankung nicht in der Lage, positive Aspekte ihres Lebens wahrzunehmen und zu würdigen, obwohl es sie natürlich auch bei ihnen gibt. Bei dieser Klientengruppe ist es eher wichtig, das depressive Erleben mitzutragen und zunächst eine »stellvertretende Hoffnung« aufrechtzuerhalten.

Viele Menschen haben Schwierigkeiten, von ihren Fähigkeiten zu berichten oder Lob anzunehmen. Das gilt selbstverständlich nicht nur für Klienten, sondern fast für jeden Menschen. Aufgewachsen mit dem Ausspruch »Eigenlob stinkt« fällt es uns viel leichter, von unseren Problemen zu berichten als von unseren Qualitäten und Erfolgen. Entsprechend sind Klienten manchmal sogar beschämt, wenn von ihren Fähigkeiten gesprochen wird; sie schauen dann verlegen zu Boden und betonen schnell Defizite. Manchmal ist es möglich, über diesen menschlichen Zug zu sprechen – mit etwas »Selbstoffenbarung« durch den professionell Tätigen geht das meistens leichter.

Neben ressourcenorientierten Fragen gibt es eine ganze Reihe weiterer Techniken und Methoden, die hilfreich sind, um Ressourcen wieder wachzurufen und zu fördern. Anwendbar sind unter anderem biografische Ansätze, die versuchen, die oftmals auf die Pathologie und auf Probleme reduzierte Sicht des eigenen Lebens und der Lebensgeschichte zu korrigieren, indem andere Erfahrungen bewusster wahrgenommen werden. Als Beispiel sei hier die sogenannte »Freudenbiografie« der jungianischen Psychotherapeutin Verena Kast (2013) genannt. Gezielt werden Lebenssituationen gesucht, die für den Betroffenen von Freude und Zufriedenheit geprägt waren und sind. Das können Situationen aus dem Erwachsenenleben, aber auch aus der Kindheit sein. Durch die Schilderung solcher Situationen wird das Gefühl der Freude aktiviert und der Klient kann positive Erfahrungen wieder mehr würdigen. Sowohl im Einzelkontakt als auch in Gruppen habe ich gute Erfahrungen damit gesammelt. Hilfreich können manchmal auch imaginative Übungen sein, in denen Klienten an positive Orte oder positive Situationen zurückgeführt werden. Wichtig ist es, die Auslöser von Freude in der eigenen Lebensgeschichte zu finden. So können Situationen bewusster herbeigeführt werden, die Freude hervorrufen.

Ressourcenorientierung als Haltungsfrage

Ressourcenorientierte Arbeit ist aber nicht in erster Linie eine Frage der Technik, sondern der Haltung. Wie können Fachpersonen betroffenen Menschen gegenüber eine Haltung einnehmen, die sich der verschütteten und aktuellen Fähigkeiten des Klienten ebenso bewusst bleibt wie seinem Potenzial für Wachstum und Gesundung?

Eine ressourcenorientierte Haltung mag leicht erreichbar scheinen, sie ist es aber oft nicht, wie sich vor allem in der Arbeit mit langzeitkranken Menschen zeigt. Gelingt es Fachpersonen, eine ressourcenorientierte Haltung einzunehmen, dann spüren Klienten das an einer bestimmten Atmosphäre innerhalb der Einrichtung bzw. in ihrem Kontakt mit den Mitarbeitenden. Eine wachstumsorientierte Atmosphäre zeichnet sich dadurch aus, dass Menschen sich dort wohlfühlen, ihr Potenzial einbringen und nicht bewertet, sondern in ihrer Würde geachtet werden. Ein Setzling kann nur wachsen, wenn er gute Bedingungen vorfindet, etwa genügend Wasser und Licht. Dasselbe gilt natürlich für uns Menschen, seien das nun wir Mitarbeiter oder unsere Klienten. Viele psychiatrische Einrichtungen sind sehr weit von einer wachstumsorientierten Atmosphäre entfernt. So sind viele Kliniken weiterhin eher Orte der Angst für Menschen, die vielmehr auf Hoffnung angewiesen sind.

Wichtig ist zunächst, ein Verständnis dafür zu entwickeln, dass diese innere Haltung, mit der ich dem Klienten begegne, Auswirkungen auf unsere Beziehung und auch auf seinen Gesundungsverlauf hat. Ressourcenorientierung zeigt sich aber nicht nur im Umgang mit dem Klienten, sondern zuallererst in der Haltung sich selbst gegenüber und gegenüber den Kollegen im Team. Eine ressourcenorientierte Haltung ist eng verwandt mit einer auf Mitgefühl und Annahme ausgerichteten Grundhaltung (KNUF & HAMMER 2013). > Akzeptanz, Seiten 132 f., 135 f.

Eine ressourcenorientierte Arbeit zeigt sich auf drei Ebenen: Die* Haltung *der Fachpersonen ist ressourcenorientiert. Sie setzen* Methoden *ein, um den Klienten dabei zu helfen, ihre Ressourcen wahrzunehmen und zu nutzen. Und sie schaffen in ihren Institutionen eine* Atmosphäre, *in der Wachstum der Betroffenen möglich wird.

Professionell Tätige können einiges dafür tun, um sich vor einer resignativen und defizitorientierten Wahrnehmung zu schützen. Dabei finden manche Einrichtungen sehr kreative Lösungen, wie die nachfolgenden Beispiele zeigen.

BEISPIEL 1

Ein Team entscheidet, jeweils zu Beginn einer Teambesprechung etwa 15 Minuten für jene Klienten zu verwenden, denen es gerade gut geht oder bei denen positive Entwicklungen eingetreten sind.

BEISPIEL 2

Ein Chefarzt einer Klinik entscheidet, dass keiner seiner Mitarbeiter nur stationär arbeiten darf, sondern alle Mitarbeiter, egal welcher Berufsgruppe, im Rahmen der Institutsambulanz einige Klienten auch ambulant weiterbetreuen sollen. So wird eine ressourcenorientierte Wahrnehmung gefördert, da die Mitarbeitenden die Klienten nicht nur in akuten Krisen, sondern auch in gesunden Phasen erleben.

BEISPIEL 3

In einer Tagesklinik werden alle ehemaligen Patienten sechs Monate nach ihrer Entlassung zu einem Gespräch eingeladen. Dort erfahren die Mitarbeitenden dann, welche Entwicklungen sich in der Zwischenzeit ergeben haben und wie die Patienten im Rückblick die Behandlung in der Tagesklinik beurteilen. So wird ein Defizitblick der Fachpersonen vermieden und die Einrichtung erhält ein Feedback über ihr Behandlungsangebot. Mit den Patienten wird schon im Entlassungsgespräch dieser Nachbesprechungstermin vereinbart, und obwohl die Klinik die ehemaligen Patienten nicht nochmals einlädt, erscheinen fast alle Patienten zum Nachbesprechungstermin.

Ressourcenorientierung kann nicht von Vorgesetzten oder Institutionen vorgegeben werden, sondern muss von jedem einzelnen Mitarbeitenden und in jedem Team entwickelt werden. Andernfalls kommt es zu einer Pseudohaltung; es wird dann zwar viel von Ressourcenorientierung gesprochen, sie wird aber nicht gelebt.

Selbstbestimmung fördern und ermöglichen

Selbstbestimmung ist in unserer Kultur ein sehr wichtiges und in seiner Bedeutung weiter zunehmendes Gut. Auch wenn dieser Trend bereits seit Langem zu beobachten ist, so hat er doch gerade in den letzten Jahrzehnten auch im Medizinbereich eine deutliche Stärkung erfahren. Zahlreiche Untersuchungen zeigen, dass sich Menschen der westlichen Welt dann aktiver verhalten, Krisen und Krankheiten besser bewältigen und sich wohler fühlen, wenn sie über zentrale Bereiche ihres Lebens selbst entscheiden können. Immer mehr Patientinnen und Patienten wollen mitbestimmen, was die Art und Weise ihrer Behandlung betrifft. Sie wollen ihrem Arzt nicht länger die alleinige Entscheidung überlassen und haben oftmals auch das dazu nötige Vertrauen verloren. Das gilt offenbar auch für immer mehr psychiatrieerfahrene Menschen.

Lange Zeit wurde psychiatrischen Klienten wie wohl kaum einer anderen gesellschaftlichen Gruppe das Recht auf Selbstbestimmung abgesprochen. Begründet wurde dies damit, dass sie aufgrund ihrer Erkrankung nicht zu einer selbstbestimmten Entscheidung in der Lage seien. Eine Behandlungsverweigerung wurde (und wird auch heute noch) zu oft als Anzeichen für eine sogenannte Krankheitsuneinsichtigkeit (mangelnde Compliance) und eine fehlende Entscheidungsfähigkeit interpretiert. Doch auch hier vollzieht sich ein Wandel: Die Psychiatrie stellt sich, wenn auch langsam, dem zunehmenden Selbstbestimmungsbedürfnis seiner Nutzerinnen und Nutzer.

In diesem Kapitel soll es um die Voraussetzungen zur Selbstbestimmung gehen, ebenso wie um einen nutzerorientierten Umgang mit dem Selbstbestimmungsrecht psychiatrischer Klienten. Selbstverständlich gibt es Grenzen der Selbstbestimmung, wie sie nicht nur psychiatrischen Klienten, sondern allen Menschen auferlegt sind, dennoch werden vielen Psychiatrieerfahrenen bis heute sogar Selbstverständlichkeiten abgesprochen. > Psychopharmaka, Seiten 69 ff.

Selbstbestimmung ist ein Recht, aber keine Pflicht

So unterschiedlich Menschen sind, so verschieden ist auch der Grad an Mitbestimmung oder Selbstbestimmung, den sie sich wünschen. Längst nicht alle Patienten wünschen sich eine stärkere Selbstbestimmung oder fordern diese gar ein. Heute zeigt sich beispielsweise, dass viele ältere Menschen ein deutlich geringeres Bedürfnis nach Selbstbestimmung haben als die jüngeren Generationen. Das gilt ebenso für viele Menschen aus anderen Kulturen. Daran zeigt sich, dass der starke Wunsch nach Selbstbestimmung sowohl ein kulturhistorisch geprägtes als auch ein eher westliches Bedürfnis darstellt. Wie stark der Wunsch nach Selbstbestimmung ist, hängt auch davon ab, welche Erfahrungen der Betroffene bisher mit dem professionellen Hilfesystem gemacht hat. So wünschen sich etwa bei der Medikation vor allem jene Menschen einen hohen Grad an Selbstbestimmung, die bereits schlechte Erfahrungen mit Medikamenten gemacht haben oder Gewalt und Zwang im Zusammenhang mit der Medikamentengabe erlebt haben (Hamann & Kissling 2005).

Die meisten Klienten nehmen für sich ein gewisses Maß an Selbstbestimmung in Anspruch. Dieses auch gesetzlich abgesicherte Recht darf ihnen nicht verwehrt werden, nicht nur in krisenfreien Zeiten, sondern auch während ihrer Krankheitsphasen nicht. Für die Arbeit mit dieser Klientengruppe sind verschiedene Materialien und Verhaltensstandards entwickelt worden, etwa schriftliche Absprachemöglichkeiten. > Willensbekundungen, Seiten 57 f., 61 f.

Schwieriger wird es mit der Empowermentförderung bei jenen, die zuerst einmal keinen oder kaum einen Wunsch nach Selbstbestimmung zeigen. Worin besteht dann die Förderung? Professionell Tätige haben zunächst keine Legitimität, Selbstbestimmung zu fordern, wenn dies nicht von Klienten gewünscht wird. Aus dem Recht zur Selbstbestimmung darf keine Pflicht werden! In unserer Gesellschaft ist niemand zur Selbstbestimmung verpflichtet, auch Psychiatrieerfahrene Menschen nicht. Und doch gibt es viele Klienten, die ihr Recht auf Selbstbestimmung nutzen würden, wenn bestimmte Hindernisse aus dem Weg geräumt wären. Sie haben beispielsweise Angst vor ihren eigenen Entscheidungen und den Konsequenzen, oder es fehlt ihnen das Vertrauen, dass ihre Entscheidung wirklich akzeptiert würde. Bei dieser Klientengruppe geht es darum, »ermöglichend« zu arbeiten. Ein Beispiel:

BEISPIEL

Herr Zeh lebt seit zwanzig Jahren in einem Wohnheim. Er beteiligt sich gerne am abendlichen Kochen, bringt aber nie eigene Vorschläge für Lieblingsspeisen ein. Die Mitarbeiter fragen ihn immer wieder nach seinen Wünschen und zeigen ihm ein Kochbuch, aus dem er auswählen könnte. Herr Zeh lehnt dies allerdings ab, und so entscheiden weiterhin die Mitarbeiter, was gekocht wird, bitten Herrn Zeh jedoch immer um seine Zustimmung. Nach mehreren Jahren stimmt er eines Tages dem Essensvorschlag nicht zu, sondern schlägt ein anderes Gericht vor. Auch in anderen Bereichen gestaltet Herr Zeh plötzlich sein Leben zunehmend selbstbestimmter. Etwas hat sich in ihm verändert.

Das Bedürfnis nach Selbstbestimmung hängt sehr von der jeweiligen Situation ab, in der sich eine Person befindet. In einer Studie aus Berlin (Terzioglu 2005) wurde das Verhalten von niedergelassenen

Ärzten untersucht, die von psychotisch erkrankten Betroffenen als »nutzerorientiert« eingeschätzt wurden. Diese Ärzte räumten ihren Klienten nicht das »absolute« Selbstbestimmungsrecht ein. Sie hatten vielmehr ein sehr feines Gespür dafür, wie lange ihre Klienten selbst entscheiden konnten, und achteten dann auch deren Entscheidungen. Sie waren allerdings auch sensibel dafür, wann ihre Klienten in ihrer Entscheidungsfähigkeit eingeschränkt waren, und übernahmen dann stellvertretend Verantwortung, stets aber nur so lange, solange es unbedingt nötig war. Die Kunst besteht also in der richtigen Balance zwischen Selbstbestimmung und Fürsorge.

Fachleute können es sich nicht so einfach machen und von einer paternalistischen Beziehungsgestaltung (»Ich sage dir, was du machen sollst«) zu einer vermeintlich empowermentorientierten Haltung übergehen (»Mach, was du willst«). Diese Haltung ist eben nur vermeintlich empowermentorientiert, letztlich wird der Betroffene aber alleingelassen. Eine Balancierung ist weit schwieriger, denn der professionell Tätige muss seinen Verhaltensstil ständig daraufhin hinterfragen, ob er in der gegenwärtigen Situation angemessen ist, welchen Grad an Selbstbestimmung der Klient aktuell wünscht und ab wann Verantwortungsübernahme notwendig ist.

Selbstbestimmung will gelernt sein

Wer bisher in seinem Leben wenig selbst entscheiden durfte, der hat unter Umständen die Fähigkeit zur Selbstbestimmung gar nicht erst erworben. Oder wer lange nicht mehr selbst entscheiden durfte, hat diese Fähigkeit inzwischen vielleicht verloren. Auch Selbstbestimmung will gelernt sein. Die Fähigkeit dazu erwerben wir durch zahlreiche Lernerfahrungen, durch Versuch und Irrtum, durch Scheitern und Erfolg. Wer diese Lernmöglichkeit nicht oder zu selten hatte, der fühlt sich möglicherweise auch bei kleinsten Entscheidungen vollkommen überfordert, hat Angst vor den eigenen Entscheidungen oder hat ein nur geringes Gespür dafür, wie er sich zu seinem eigenen Wohl verhalten sollte. Werden diesem Menschen Selbstbestimmungsmöglichkeiten angeboten, dann wird er diese nicht zwangsläufig freudig ergreifen, sondern er wird sich womöglich überfordert fühlen und von Menschen seiner Umgebung erwarten, dass sie weiter für ihn die Fäden ziehen. Daher ist es nicht immer empowermentorientiert, einen Klienten auf sein Recht zur Selbstbestimmung zu verweisen. Eine Förderung von Empowerment besteht manchmal vielmehr darin, zunächst die Selbstbestimmungs*fähigkeit* zu unterstützen. Wenn wir das nicht tun, denken wir Empowerment vom Stärksten und nicht vom Schwächsten her.

Fachleute, die ihren Klienten über Jahre zunehmend mehr Mitbestimmungsmöglichkeiten eröffnet haben, sind häufig enttäuscht darüber, dass ihre Klienten diese Möglichkeiten so wenig nutzen: »Jetzt dürfen sie selbst entscheiden, aber sie wollen gar nicht.« Diese Enttäuschung kann sogar in Ärger oder in einen Defizitblick umschlagen: »Wir wussten ja immer schon, dass unsere Klienten zu krank dazu sind.«

Auch Selbstbestimmung will gelernt sein. Selbstbestimmungsfähigkeit erwerben Menschen vor allem durch Lernerfahrungen. Dazu ist es erforderlich, dass professionell Tätige ihren Klienten das Recht auf Irrtum und Risiko zugestehen.

Gerade die Psychiatrie hat oft große Mühe damit, ihren Klienten dieses Recht auf Irrtum einzuräumen. Psychiatrische Institutionen haben ja gerade den Auftrag, den Irrtum, also das Nicht-Rationale, zu behandeln und zu verhindern. Wie soll es ihnen da leichtfallen, das Recht auf Irrtum und Risiko zuzulassen, ja, diesem im Sinne einer Förderung von Eigenständigkeit und Selbstverantwortung sogar positiv gegenüberzustehen? Betroffene beklagen das entsprechend oft. »Ich wurde in Watte gepackt, man hat mir nur Dinge erlaubt, die garantiert geklappt haben«, berichtet ein ehemaliger Bewohner eines Wohnheims. Oftmals fühlen sich Fachpersonen auch verantwortlich für das Gelingen oder Misslingen eines Hilfeangebots. Manchmal werden sie sogar von Kollegen dafür verantwortlich gemacht.

BEISPIEL 1

Eine Mitarbeiterin einer Kontakt- und Beratungsstelle berichtet, dass es in ihrem Team bei einer gesundheitlichen Verschlechterung eines Klienten immer wieder Kommentare gäbe wie: »Was hast du denn mit Frau Müller gemacht, der geht's ja so schlecht in letzter Zeit.«

BEISPIEL 2

Ein Mitarbeiter eines Sozialpsychiatrischen Dienstes berichtet, ein ehemaliger Klient habe einen Arbeitsversuch unternehmen wollen, den andere Kollegen von vornherein für aussichtslos gehalten hätten, er aber habe die Entscheidung des Klienten mitgetragen. Der Arbeitsversuch sei mit einem sehr problematischen Ende gescheitert. Einige Monate später habe sich der Klient suizidiert. Seit dieser Zeit könne er etwas fragwürdige Entscheidungen seiner Klienten kaum noch mittragen und versuche immer, »auf die sichere Seite« zu kommen.

Mit der Freiheit zu Irrtum und Versuch ist eng verbunden, dass Klienten auch die Konsequenzen ihrer Entscheidungen und Handlungen erfahren müssen (bzw. dürfen), um zukünftig Entscheidungen besser abwägen zu können. Wer vor den Konsequenzen seiner Handlungen geschützt wird, wird an einer Form der Eigenständigkeit gehindert. Hier ist meistens ein Abwägen erforderlich, denn selbstverständlich werden Fachleute bemüht sein, ihre Klienten vor schwerwiegenden negativen Folgen einer Entscheidung zu schützen. Das muss aber auf Ausnahmen beschränkt bleiben, denn wenn ein Mensch die negativen Konsequenzen seiner Handlungen nicht mehr spürt, wird er diese Verhaltensweisen natürlich in Zukunft fortsetzen und ist damit an einer Lernmöglichkeit gehindert worden.

Wichtig ist es zudem, Entscheidungen des Klienten mitzutragen, auch wenn der Mitarbeiter sie nicht für optimal hält oder ihr Scheitern befürchtet. Das kann sehr schwierig sein. Mitarbeiter müssen dabei über »ihren eigenen Schatten springen« können. Wer nur recht behalten will, gerät schnell in eine Haltung von: »Soll er's doch machen, wie er will, er wird schon sehen, dass es so nicht funktioniert.« Wenn Hilfe verweigert wird, erhöht sich aber das Risiko des Scheiterns. Bekäme der Klient sie, wäre er vielleicht erfolgreich. Ich meine damit nicht, dass Mitarbeitende alle Entscheidungen ihrer Klienten mittragen müssen. Vielmehr können sie durchaus ihre eigene Position deutlich machen, dürfen vor Risiken warnen, sollten aber auch von ihrer eigenen Position abrücken können und einmal getroffene Entscheidungen ihrer Klienten, wann immer möglich, akzeptieren und mittragen.

BEISPIEL

Herr Har hat aufgrund einer psychotischen Erkrankung sein Lehramtsstudium unterbrechen müssen. Nach Abklingen der Krise hat er insgesamt drei Anläufe unternommen, um wieder ins Studium einzusteigen, ist aber jedes Mal erneut psychotisch geworden. Jetzt bleibt ihm noch ein letzter Versuch, bevor er exmatrikuliert wird. Da der letzten Krise eine lange postpsychotische Depression folgte, vertritt seine Psychotherapeutin den Standpunkt, er sollte nicht noch einen weiteren Versuch unternehmen, sondern sich um die von ihm ebenfalls erwogene Erzieherausbildung bemühen. Herr Har möchte aber den letzten Versuch noch wagen. Die Psychotherapeutin akzeptiert die klare Entscheidung ihres Klienten und bietet für den erneuten Versuch eine intensivere psychotherapeutische Unterstützung an. Leider endet auch dieser Versuch in einer schweren Psychose. Nach Abklingen der Psychose nimmt Herr Har die Psychotherapie wieder auf. Er bedankt sich bei seiner Therapeutin für die Unterstützung und entschließt sich, mit ihr über die Ausbildung zum Erzieher zu sprechen.

Das Recht auf Irrtum und Versuch, das Mittragen von Klientenentscheidungen und das Recht, Konsequenzen der eigenen Entscheidungen zu spüren, sind sehr wichtig für die Förderung der Selbstbestimmungsfähigkeit. Daneben gibt es noch eine ganze Reihe weiterer Möglichkeiten, unter anderem:

Impulse für Entscheidungen wahrnehmen und diese unterstützen: Anfänglich kann es oft um sehr kleine Entscheidungen gehen. Die professionelle Aufgabe ist, diese wahrzunehmen und die entsprechenden Entscheidungen zu ermöglichen. Beispielsweise entschied sich eine Frau im Betreuten Wohnen, das einzige Bild in ihrem Zimmer von der einen Wand an die andere zu hängen. Die Mitarbeitenden griffen diesen Wunsch zunächst nicht auf, sondern versuchten die Bewohnerin davon zu überzeugen, doch ein weiteres Bild aufzuhängen.

Hinreichende Entscheidungsspielräume öffnen: Wenn die Entscheidungsspielräume zu klein oder für den Betroffenen unbedeutend sind, werden sie oft nicht genutzt. Selbstbestimmung bedeutet nicht, zwischen zwei Möglichkeiten wählen zu können, wenn ich möglicherweise etwas Drittes möchte.

Lerngeschichte des Verlusts der Entscheidungsfähigkeit aufarbeiten: Für Klienten, die daran interessiert sind, ist es hilfreich, die Lerngeschichte des Verlusts der Entscheidungsfähigkeit aufzuarbeiten: »Wie kommt es eigentlich, dass ich es mir gar nicht zutraue, selbst zu entscheiden?« Die Aufdeckung der lebensgeschichtlichen Zusammenhänge fördert das Verständnis des Betroffenen für sich selbst und sein Verhalten.

Selbstbestimmungsfähigkeit wird behindert, wenn Klienten zur Entscheidung gedrängt werden (»Jetzt sag endlich, was du möchtest«) oder Entscheidungen treffen sollen, die sie momentan überfordern. Das wird dann oft mit Regression oder Rückzug beantwortet.

Umgang mit Klientenentscheidungen

Professionell Tätige sind verpflichtet, die Entscheidungen ihrer Klienten zu akzeptieren und diese sogar zu unterstützen, soweit sie den Zielen des Betroffenen nicht entgegenstehen. Sie sind der »Anwalt« der Entscheidung und unterstützen die Klienten dabei, ihre eigene Entscheidung zu treffen. Nur in sehr eng umgrenzten Ausnahmefällen haben sie das Recht, die Entscheidung des Klienten zu verletzen, oder sind sogar gesetzlich dazu verpflichtet. Dies gilt beispielsweise bei Fremdgefährdung oder wenn sich der Klient etwa durch sein Verhalten längerfristig massiv schädigen würde. Die Helfer haben bei kontroversen Themen drei Optionen: übereinstimmen, respektieren oder intervenieren.

ÜBEREINSTIMMUNG In den meisten Fällen gibt es einen Konsens zwischen der Entscheidung des Klienten und der Position des professionell Tätigen. Beide stimmen nach Abwägung aller Bedingungen in ihrer Einschätzung der Situation und des angemessenen Umgangs damit überein. Beispielsweise sind sich der behandelnde Arzt und sein Patient darüber einig, dass momentan ein Schlafmittel hilfreich wäre, damit der Patient wieder besser schlafen kann und damit möglicherweise eine psychotische Krise vermieden wird.

RESPEKT Es gibt jedoch auch Fälle, in denen sich Behandler und Klient uneinig sind, der Klient sich aber durch sein Verhalten nicht selbst-

oder fremdgefährdend verhält. Etwa hält eine Klientin, die im Rahmen des betreuten Einzelwohnens unterstützt wird, in ihrer Wohnung eine Ratte als Haustier. Ihre Betreuerin befürchtet zwar längerfristig eine Gefährdung des Mietverhältnisses, dies ist aber gegenwärtig nicht der Fall. Daher respektiert die Betreuerin das Verhalten ihrer Klientin.

INTERVENTION Nun kann sich ein Klient allerdings auch so verhalten, dass der professionell Tätige sich gezwungen sieht, einzugreifen und das Verhalten zu unterbinden. Dies ist etwa bei vorliegender Selbst- oder Fremdgefährdung der Fall. Wenn der Patient dem Arzt gegenüber erklärt, er wolle nicht länger leben und werde jetzt seinen geplanten Suizid umsetzen, dann ist der Arzt gesetzlich verpflichtet, alles zu tun, um dies zu unterbinden, etwa indem er eine Zwangseinweisung veranlasst.

Der Streit zwischen den Betroffenen bzw. ihren Interessenvertretungsorganisationen auf der einen Seite und den Fachpersonen und oftmals auch den Angehörigen auf der anderen Seite betrifft in erster Linie die Frage, welche Verhaltensweisen noch respektiert werden müssen und ab wann interveniert werden soll. Recovery- und empowermentorientierte Fachpersonen sind darum bemüht, möglichst viel zu respektieren und erst möglichst spät zu intervenieren. Doch auch bei dieser Richtlinie ergeben sich im Alltag immer wieder heikle Situationen, auf die auch kein Lehrbuch eine klare Antwort zu geben weiß: Wie lange sollen es die Mitarbeiter eines Wohnheims hinnehmen, dass ein Bewohner sich nicht waschen möchte? Bis er so stinkt, dass sich alle Mitarbeiter weigern, das Zimmer des Bewohners zu betreten, oder die Verkäuferin aus dem Zigarettenkiosk anruft, dass sie Herrn Müller nicht mehr in ihrem Laden sehen möchte? Wie lange kann das Messie-Verhalten eines Klienten hingenommen werden? Bis sich der erste Nachbar beschwert oder bis der Vermieter mit der Kündigungsklage droht?

Selbstverständlich gibt es bestimmte rechtliche Vorgaben und Verpflichtungen, denen Fachpersonen unterworfen sind, beispielsweise im Rahmen des Betreuungsrechts. Der Entscheidungsspielraum ist im Alltag aber groß und wird individuell sehr unterschiedlich gehandhabt. So zeigen Untersuchungen, dass die Begründung einer Selbst- oder Fremdgefährdung, mit der dann eine Zwangseinweisung legitimiert wird, in vielen Fällen nicht berechtigt ist. In einem solchen Fall wird eindeutig das Selbstbestimmungsrecht des Betroffenen missachtet und die rechtlichen Rahmenbedingungen werden missbraucht. > Rechtslage, Seiten 60 ff., 119 f.

Klienten beeinflussen und Druck: Ein wichtiger Standard für den Umgang mit dem Selbstbestimmungsrecht lautet: »Wir unterstützen Klienten dabei, eine eigene Entscheidung zu treffen, und versuchen nicht, sie zu beeinflussen.« Im Alltag zeigt sich jedoch, dass oft versucht wird, Einfluss auf die Entscheidungen zu nehmen. Es gibt viele Formen der Beeinflussung durch professionell Tätige, die alle den Zweck haben, eine vom Mitarbeiter für sinnvoll erachtete Entscheidung herbeizuführen. Einige dieser Beeinflussungsversuche sind offen als solche ersichtlich, andere sind subtiler und nur schwer zu erkennen. Hier einige Beispiele:

Bestimmte Informationen werden zurückgehalten: Informationen über Nebenwirkungen von Medikamenten oder über Behandlungsalternativen werden zurückgehalten, um den Klienten zum Einnehmen der Medikamente zu bewegen. Oder einem Patienten, der freiwillig in die Klinik gekommen ist, wird suggeriert, er dürfe die Klinik nicht ohne Zustimmung der Behandler verlassen.

Überreden: Obwohl der Klient eine Entscheidung getroffen hat, akzeptiert die Fachperson diese nicht und versucht, den Klienten umzustimmen.

Beeinflussung auf der Beziehungsebene: Im Extremfall wird mit Beziehungsabbruch gedroht: »Wenn Sie die Medikamente absetzen, brauchen Sie nicht mehr zu mir zu kommen.« Es kann aber auch subtiler vermittelt werden, dass der Mitarbeiter den Klienten nicht mehr so »mag«, wenn dieser eine bestimmte Entscheidung trifft, etwa indem er sich dem Klienten dann nicht mehr so viel widmet.

SELBSTREFLEXION

Wann und wodurch haben Sie das letzte Mal einen Klienten gezielt zu beeinflussen versucht? War Ihnen das in der Situation bewusst?

Nicht jede Form von Beeinflussung behindert Empowermentprozesse. Dazu existieren zu viele Situationen, in denen Betroffene nachträglich sehr froh darüber sind, dass ihre Behandler ihr Recht auf Selbstbestimmung nicht akzeptiert haben und stattdessen versuchten, ihre Klienten zu bestimmten Entscheidungen zu bewegen.

BEISPIEL 1

Einem langjährigen Heimbewohner, für den das Leben in einer Familie früher eine große Bedeutung hatte, wurde angeboten, im Rahmen der psychiatrischen Familienpflege in eine Gastfamilie zu ziehen. Beim ersten Informationsgespräch reagierte er mit Ablehnung und Angst. Der Mitarbeiter der Familienpflege besuchte den Klienten jedoch ein weiteres Mal im Heim und bot ihm ein zweiwöchiges Probewohnen in der Gastfamilie an, dem der Bewohner nur widerstrebend zustimmte. Während des Probewohnens in der Gastfamilie gefiel es ihm dort jedoch so gut, dass er gleich in der Gastfamilie bleiben wollte und sich sogar weigerte, seine Sachen aus dem Heim abzuholen.

BEISPIEL 2

Ein ambulant behandelnder Arzt versucht seinen akut manischen Patienten davon zu überzeugen, freiwillig in die Klinik zu gehen. Er befürchtet, dass andernfalls bald eine Zwangseinweisung erfolgen wird. Auch nach einem langen Gespräch lehnt der Betroffene dies ab. Schließlich sagt der Arzt: »Ich werde heute nicht eher nach Hause gehen, bevor ich Sie nicht in die Klinik gebracht habe. Bei allem anderen würde ich mir später vorwerfen, Ihnen nicht geholfen zu haben.« Nach drei Stunden willigt der Patient schließlich ein. Nach der stationären Behandlung bedankt er sich beim Arzt für dessen Unnachgiebigkeit.

Im Alltag werden Formen der Beeinflussung meistens unreflektiert eingesetzt, das heißt, Mitarbeiter wenden sie an, ohne sich vorher nach Abwägung der Umstände bewusst dafür entschieden zu haben. Damit ist die Gefahr verbunden, dass sie nicht zum Wohle des Betroffenen, sondern aus anderen Gründen genutzt werden. Beispielsweise versuchen Mitarbeiter ihre Klienten zu beeinflussen, um sich selbst Ärger zu ersparen, den Arbeitsalltag angenehmer zu gestalten oder Ähnliches. Die Mitarbeiterin einer Tagesklinik erzählt: »Ich weiß genau, was ich machen muss, damit der Mittwochsausflug nicht schon wieder ins nahe gelegene Café geht, sondern ein längerer Spaziergang unternommen wird.« Ein anderer Grund für subtile Beeinflussungen ist häufig, dass Mitarbeiter verschiedensten Interessen ausgesetzt sind. Dadurch stehen sie in der Gefahr, sich nicht nutzerorientiert zu verhalten, sondern angehörigenorientiert, vorgesetztenorientiert, krankenkassenorientiert und so weiter. Dieses Verhalten ist menschlich sehr verständlich, im Interesse des Klienten sollte es aber trotzdem unterlassen werden.

Beeinflussungsversuche sollten also nur bewusst und reflektiert erfolgen, sonst besteht die Gefahr, dass andere Interessen als die des

Betroffenen vertreten werden. Als Fachperson muss ich mir die Frage beantworten können: »Welche Begründung habe ich für die Verletzung des Selbstbestimmungsrechts meines Klienten? Ist diese Begründung hinreichend?« Wann immer möglich, sollten Vorabsprachen erfolgen, das heißt, Klient und Bezugsperson sollten in krisenfreien Zeiten darüber sprechen, wie im Falle schwieriger Situationen verfahren wird. > Absprachen, Seiten 63 f.

Ambivalente Entscheidungen

Wir Menschen empfinden oft ambivalent, dann wissen wir nicht, wie wir uns entscheiden sollen. Es spricht vieles für die eine Möglichkeit, aber auch die Alternative erscheint uns attraktiv. Oder beide Möglichkeiten enthalten sehr unangenehme Aspekte. Das trifft natürlich besonders auf schwierige Entscheidungen zu, mit denen Klienten oft konfrontiert sind: Soll ich die Medikamente weiterhin einnehmen oder sie doch lieber absetzen? Soll ich eine Rente beantragen oder mein Studium fortsetzen? Soll ich in die Klinik gehen oder versuchen, meine Psychose doch irgendwie daheim in den Griff zu bekommen? All diese Fragen sind meistens nicht leicht zu beantworten.

Häufig sind Fachleute geneigt, anzunehmen, dass sie besser als ihre Klienten wissen, was für diese gut ist. Die Fachperson versucht dann, den Klienten von dem für sinnvoll gehaltenen Weg zu überzeugen. In der Regel geschieht das, indem der Berater Argumente für seine Position sucht und im Gespräch bemüht ist, den Klienten zu überzeugen. Dieses alltägliche Verhalten ist nur in den seltensten Fällen für den Betroffenen hilfreich. Meistens führt es vielmehr dazu, dass sich der Klient entweder anpasst (»Gut, ich mach, was meine Bezugsperson vorschlägt«) oder in die Opposition geht (»Was der will, mach ich noch lange nicht«). Es fördert also entweder Widerstand oder Hörigkeit, aber kein Empowerment und Recovery. Ein innerer Ambivalenzkonflikt wird dann von einer Beziehungsdynamik zwischen Klient und Bezugsperson überlagert, und dadurch wird es dem Klienten erschwert, sich seine eigene Meinung zu bilden.

Statt einer einseitigen Positionierung des professionell Tätigen sind ganz andere Verhaltensweisen hilfreich, um eine eigenständige Entscheidung des Klienten zu fördern. Dazu gehört es zunächst, anzuerkennen, wie schwierig die Entscheidung möglicherweise ist. Wichtig ist Offenheit für die verschiedenen Möglichkeiten. Wenn der Mitarbeitende diese Offenheit nicht hat, kann er einem Klienten bei der Meinungsbildung nicht wirklich hilfreich sein. Alle Möglichkeiten müssen genau betrachtet werden, dazu ist das Sammeln der Vor- und Nachteile der verschiedenen Optionen notwendig. Schwierige Entscheidungen benötigen viel Zeit, diese Zeit muss Klienten zugestanden werden. Manchmal drehen sich in Zeiten solcher Entscheidungsfindungen die Gespräche im Kreis, als müsse immer und immer wieder über dasselbe gesprochen werden. Dies dann als Teil des Entscheidungsprozesses zu verstehen, entlastet Mitarbeiter und macht es ihnen leichter, nicht ungeduldig zu werden. Manchmal ist das Ausprobieren der Entscheidungsmöglichkeiten nötig, dazu gehört dann auch das Recht, einen einmal getroffenen Entschluss wieder rückgängig zu machen.

Von professioneller Seite wurden Konzepte entwickelt wie die Motivierende Gesprächsführung oder die Adherence-Förderung, die auch Ambivalenzen der Klienten aufgreifen und den Prozess der Entscheidungsfindung betonen (siehe Kremer & Schulz 2020).

Hilfreiche Fragen für Fallarbeit und Supervision: Wer will was?
Es ist nicht leicht, fremde Lebensentwürfe zu akzeptieren, vor allem dann, wenn sie gar zu verrückt wirken oder den eigenen Lebensentwurf infrage stellen. Viele Schwierigkeiten zwischen Betroffenen und Professionellen ergeben sich aus differierenden Zielen. Der Betroffene verweigert sich dann möglicherweise und gilt in der professionellen

Wahrnehmung als »non-compliant« oder als »im Widerstand gefangen«. Eine Klärung der verschiedenen Ziele aller beteiligten Personen ist hilfreich bis notwendig.

Bei der Empowermentunterstützung haben die Ziele der Betroffenen Vorrang vor denen aller anderen beteiligten Personen, soweit die Freiheiten der anderen dadurch nicht bedeutend eingeschränkt werden. Der Betroffene hat zudem ein Recht auf Irrtum und Risiko; er darf seinen Lösungsweg ausprobieren, auch wenn dieser aus professioneller Sicht zunächst unrealistisch erscheint.

1. Welche Ziele hat der Betroffene?
2. Welche Ziele haben die professionell Tätigen bzw. die Angehörigen etc.?
3. Widersprechen sich diese Ziele?
4. Wenn »Ja«: Wie äußert sich das im Kontakt von Betroffenem und Helfer?
5. Welchen Auftrag gibt der Betroffene dem Helfer?
6. Welchen hätte der Helfer gerne?
7. Was würde der professionell Tätige wollen, wenn er selbst betroffen wäre?
8. Kann der professionell Tätige die Ziele des Betroffenen akzeptieren?
9. Wenn »Nein«: Kann er sie nicht im Interesse des Betroffenen akzeptieren oder im eigenen?

Verletzung des Selbstbestimmungsrechts

Auch wenn psychiatrische Institutionen und ihre Mitarbeiter es gelernt haben, die Entscheidungen ihrer Klienten weitgehend zu respektieren, so wird es immer noch Situationen geben, in denen das Selbstbestimmungsrecht des Klienten verletzt wird. Dies ist etwa der Fall, wenn gesetzliche Bestimmungen dazu zwingen, aktiv zu werden.

Aber auch für diese Situationen lassen sich Empfehlungen beschreiben für einen möglichst empowermentorientierten Umgangsstil trotz bestehender Fremdbestimmung. Dabei geht es vor allem darum, die weiterhin vorhandenen Möglichkeiten der Mitbestimmung auszunutzen, durch Transparenz zumindest ein bedingtes Gefühl von Kontrolle zu vermitteln und alles dafür zu tun, um zukünftige Empowermentmöglichkeiten nicht durch die gemachten Erfahrungen zu vernichten.

Orientierung am erklärten oder zu erwartenden Willen: Was wissen Helfer über den erklärten oder zu erwartenden Willen des Betroffenen? Relativ einfach ist es, wenn eine schriftliche Willensbekundung in Form einer Patientenverfügung, einer Behandlungsvereinbarung oder Ähnliches vorliegt. Falls nicht, gibt es manchmal mündliche Willensbekundungen, die der Betroffene gegenüber professionell Tätigen, Familienmitgliedern oder Vertrauenspersonen gemacht hat. Häufig ist es sinnvoll, Vertrauenspersonen zu befragen, was der Betroffene ihrer Meinung nach gewünscht hätte.

Absicherung der Entscheidungen durch mehrere Personen: Entscheidungen sollten immer durch mehrere Personen abgestützt sein. Das erhöht die Wahrscheinlichkeit für eine nutzerorientierte Entscheidung und entlastet den Einzelnen. Hilfreich sind Diskussionen innerhalb eines Teams oder in der Supervision. Auch übergeordnete Entscheidungsträger wie Oberärzte sollten wichtige Entscheidungen nicht allein treffen, sondern einen Austausch mit anderen Fachpersonen suchen. Wichtig ist es, Vertrauenspersonen des Betroffenen nach ihren Vorschlägen zu befragen oder andere Betroffene einzubeziehen, um ein Einfühlen in die Situation des Betroffenen zu erleichtern.

Weitestmöglicher Einbezug des Betroffenen in den Prozess: Auch wenn eine fremdbestimmte Maßnahme getroffen wurde, heißt das noch lange nicht, dass Betroffene nicht mehr einbezogen werden können. Wichtig ist ein möglichst hoher Grad an Transparenz und ein

Gefühl von Kontrolle aufseiten der Klienten. Wann immer möglich, sollte versucht werden, weitere Entscheidungen doch gemeinsam zu treffen. Menschen sind in den seltensten Fällen durchgängig entscheidungsunfähig. Auch akut psychotische Menschen haben so genannte »Inseln der Klarheit« (PODVOLL 1997), also Augenblicke, in denen das Wahnerleben in den Hintergrund tritt und es möglich ist, eine Absprache zu treffen bzw. die Wünsche des Betroffenen zu erfahren.

Gewalt und Zwang vermeiden: Es gibt zahlreiche Möglichkeiten, um Gewalt und Zwang zu vermeiden, die leider immer noch viel zu selten genutzt werden. Auf Soteria-Stationen oder etwa im Weddinger Modell (MAHLER u. a. 2014) sind entsprechende Versuche unternommen worden. Sie zeigen, dass psychiatrische Kliniken unter bestimmten Bedingungen weitgehend gewaltfrei arbeiten können. Dies ist für den Erhalt von Empowermentmöglichkeiten wichtig, denn viele Menschen werden durch Zwangserfahrungen traumatisiert und diese Erfahrungen vernichten auf verschiedene Art Formen der Eigenaktivität und Selbstbestimmung und behindern Genesungsprozesse. Wenn Zwang doch eingesetzt wird, so muss er kurzzeitig, respektvoll und professionell erfolgen (KETELSEN u. a. 2004). Hilfreich dabei sind Deeskalationstechniken (LÖHR u. a. 2019; MARIO u. a. 2004; RUPP 2019).

Nachbesprechung nach einer Zwangsmaßnahme: Jede Fremdbestimmung muss nach der akuten Krise nachbesprochen werden. Durch Nachbesprechungen erfahren professionell Tätige, wie die Fremdbestimmung vom Betroffenen erlebt wurde und welche Möglichkeiten er sieht, um dies in Zukunft zu vermeiden. Es ist möglich, eine Willensbekundung für zukünftige Situationen einzuholen. Bei Fehlentscheidungen durch professionell Tätige sollte die Nachbesprechung genutzt werden, um sich dafür beim Klienten zu entschuldigen. Der Alltag zeigt auch heute noch, dass Nachbesprechungen ausgerechnet bei Zwangsmaßnahmen sehr oft unterbleiben. Folge ist ein

Vertrauensverlust des Klienten gegenüber der Einrichtung, was dazu führen kann, dass er sich zukünftig weigert, Hilfeangebote anzunehmen. Wichtige Gesprächsinhalte für eine Nachbesprechung sind unter anderem, wie zukünftig eine Zuspitzung krisenhafter Ereignisse vermieden werden kann und ob Anzeichen für eine Traumaverarbeitungsstörung vorliegen, die professionelle Hilfe nötig macht.

Auch den Peermitarbeitern kommt hier eine besondere Bedeutung zu. Sie können als Mediatoren fungieren, können klassischen Fachpersonen helfen, die Innenperspektive von Betroffenen besser einzufühlen und dadurch deeskalierende Handlungsstrategien zu entwickeln, oder können möglicherweise auch in krisenhaften Zuspitzungen länger einen vertrauensvollen Kontakt zum Betroffenen halten (Utschakowski u. a. 2016).

RECHTSLAGE Im Fall von Zwangsmaßnahmen befindet sich der Betroffene natürlich nicht in einer rechtlosen Position, Vielmehr ist in den letzten Jahren seine Position rechtlich gestärkt worden, sodass er die Möglichkeit hat, sich gegen bestimmte Entscheidungen zur Wehr zu setzen. So kann er beispielsweise gegen die Einrichtung einer Betreuung oder gegen einen Unterbringungsbeschluss Beschwerde einlegen. Professionell Tätige haben die Aufgabe, die Rechte des Patienten zu wahren, ihn über seine rechtlichen Möglichkeiten zu informieren und ihm bei der Durchsetzung dieser Rechte behilflich zu sein. Das gilt auch dann, wenn aus Sicht des professionell Tätigen die Arbeit durch die Rechtsmittel erschwert wird oder der Patient sich dadurch vermeintlich selbst schadet.

Mitarbeiter, die sich mit den hier aufgeführten oder weiteren Verhaltensweisen bemühen, sich möglichst nutzerorientiert zu verhalten, sollten kein schlechtes Gewissen haben, wenn es doch mal zu Zwangsmaßnahmen gekommen ist. Sie haben alles in ihrer Kraft Stehende getan, um Traumatisierungen und die Verletzung des Selbstbestimmungsrechts zu vermeiden. Dazu ist es erforderlich, dass Zwangsmaßnahmen nach ihrer Durchführung kritisch reflektiert werden müssen: Gab es wirklich nur diese Möglichkeit? Was hätten wir tun können, um die Zwangsmaßnahme eventuell doch noch abzuwenden? Was nehmen wir uns für zukünftige ähnliche Situationen vor?

Schriftliche Absprachen und Willensbekundungen

Inzwischen verfügen wir über ein breites Spektrum an Instrumenten für schriftliche Absprachen oder Willensbekundungen. Absprachen sind Vereinbarungen zwischen einem gegenwärtigen oder zukünftigen Klienten und einer psychiatrischen Institution bzw. einer Fachperson. Absprachen müssen beide Seiten zustimmen. Sie beruhen oft auf Kompromissen zwischen den Wünschen des Betroffenen und machbaren Angeboten der professionellen Seite. Willensbekundungen sind einseitig, das heißt, der betroffene Mensch bekundet, was im Krisenfall geschehen soll. Mehrere dieser Instrumente wurden seit etwa Mitte der 1990er-Jahre dialogisch oder trialogisch speziell für den Psychiatriebereich erarbeitet, beispielsweise die Behandlungsvereinbarung. Andere, wie etwa die Patientenverfügung, werden in verschiedenen medizinischen Bereichen eingesetzt und haben in der Bevölkerung mittlerweile eine weite Verbreitung erfahren.

Schriftliche Absprachemöglichkeiten sind eine wichtige Hilfe, um das Selbstbestimmungsrecht psychiatrieerfahrener Menschen einzuhalten. Sie sind vor allem für jene Klienten hilfreich, die in akuten Krisen zur Willensbekundung nicht oder kaum mehr in der Lage sind. Die wichtigsten Instrumente sind:

Patientenverfügung: einseitige Willensbekundung eines Menschen, wie er im Krankheitsfall behandelt werden möchte. Die Patientenverfügung wird in der Regel schriftlich festgelegt und sollte im Krankheitsfall den Behandlern vorliegen. Sie ist rechtsverbindlich, wenn der Betroffene zum Zeitpunkt der Erstellung einwilligungsfähig war.

Behandlungsvereinbarungen: schriftliche Absprache zwischen einer psychiatrischen Klinik und einem Betroffenen. Es wird vereinbart, wie der Patient im Krisenfall so behandelt werden kann, dass seine Anliegen und Bedürfnisse weitestgehend berücksichtigt werden. Die Behandlungsvereinbarung gilt rechtlich als Patientenverfügung und ist rechtsverbindlich, vor allem da durch die Beteiligung der Klinik davon auszugehen ist, dass die Einwilligungsfähigkeit des Betroffenen gegeben war.

Beidseitige Willensbekundung: schriftliche Absprache zwischen einer Wohneinrichtung und einem Bewohner, wie er im Krisenfall behandelt werden soll.

Krisenpass: einseitige Willensbekundung eines Menschen, wie er im akuten Krisenfall behandelt werden möchte. Die wichtigsten Informationen werden auf einem kleinen Krisenpass notiert, den der Betroffene ständig bei sich trägt und der daher im Krisenfall leicht verfügbar ist.

Betreuungsverfügung: schriftliche Willensbekundung eines Betroffenen darüber, wer im Falle einer notwendig werdenden Betreuung diese übernehmen soll.

Vorsorgevollmacht: schriftliche Willensbekundung, wer im Krisenfall bestimmte Vollmachten übernehmen soll. Die Vorsorgevollmacht dient dazu, eine Betreuung zu vermeiden.

LITERATUR

Weitere Informationen zu den genannten Formen der Willensbekundung und auch generell zu den Rechten psychisch kranker Menschen finden sich in *Psychisch kranke Menschen im Recht* (2015) von Rolf Marschner.

Schriftliche Absprachen dürfen selbstverständlich nicht das Gespräch zwischen Betroffenen und professionell Tätigen ersetzen, vielmehr sollen sie die direkte Kommunikation sogar noch fördern. Vor allem das Gespräch ist eine vertrauensbildende Maßnahme und ermöglicht es der Fachseite, mehr Sensibilität für die Anliegen der Betroffenen zu entwickeln. Absprachemöglichkeiten wie etwa die Behandlungsvereinbarung haben ihren Nutzen bereits unter Beweis gestellt. So berichten Einrichtungen, die mit diesen Instrumenten arbeiten, dass Krisen abgefangen werden und Zwangsmaßnahmen reduziert werden können, weil Klienten rechtzeitig die Hilfeangebote in Anspruch nehmen. Behandlungsvereinbarungen werden zunehmend häufiger angeboten, oft wurden lokal individuelle Vereinbarungen zwischen Betroffenenverbänden und der jeweiligen Klinik entwickelt.

Wiederholt hat sich gezeigt, dass viele der hier aufgeführten Instrumente wirkungslos sind, wenn sie nicht mit einer Änderung der Haltung innerhalb der Institution einhergehen. Beispielsweise fühlen sich nicht alle Mitarbeitende an eine einmal abgeschlossene Behandlungsvereinbarung gebunden, diese ist im Krisenfall nicht auffindbar oder einzelne Mitarbeiter wissen überhaupt nicht, dass ein solches Instrument in ihrer Einrichtung existiert. Durch einen nachlässigen Umgang mit diesen Instrumenten werden Empowermentmöglichkeiten sogar getilgt, denn Betroffene machen unter Umständen erneut die Erfahrung, dass ihre Meinung nichts zählt. Letztlich ist es dann wohl besser, ganz auf die Einführung solcher Instrumente zu verzichten.

Zauberwort »Shared Decision-Making«

Schon vor Jahren wurde von medizinischer Seite ein Konzept dazu erarbeitet, wie eine verbesserte Partizipation der Betroffenen bei Entscheidungsprozessen erreicht werden kann. Ursprünglich ging es dabei vornehmlich um Entscheidungen bei potenziell lebensbedrohlichen Erkrankungen, etwa bezüglich der Frage, ob ein krebskranker Patient eine Chemotherapie durchführen lassen möchte oder nicht.

Zunehmend wird dieses Konzept aber auch auf Entscheidungsprozesse bei chronischen Erkrankungen übertragen und es liegen erste Studien mit psychiatrieerfahrenen Menschen vor. Das erarbeitete Konzept wird »Shared Decision-Making« genannt, was mit »geteilter Entscheidungsfindung« oder »gemeinsamer Entscheidungsfindung« übersetzt werden könnte: Wie muss ein gemeinsamer Entscheidungsfindungsprozess gestaltet sein, an dem der Patient und sein Behandler möglichst partnerschaftlich mitwirken? In diesem Prozess wird weder paternalistisch durch den professionell Tätigen entschieden noch allein durch den Betroffenen, sondern beide versuchen gemeinsam, eine Entscheidung zu finden.

Zunächst kommt es zu einem Informationsaustausch zwischen ihnen. Der Patient schildert seine Erkrankung und seine momentane Situation, der Behandler liefert Informationen über verschiedene Behandlungsmöglichkeiten. Es schließt sich eine gemeinsame Beratung an, bei der der Patient beispielsweise individuelle Bedürfnisse einbringen kann. Anschließend erfolgt eine gemeinsame Entscheidung, der die Umsetzung folgt. Später wiederholt sich diese Abfolge, das heißt, es findet beim nächsten Behandlungstermin erneut ein Informationsaustausch, eine gemeinsame Beratung und ggf. eine erneute gemeinsame Entscheidung statt (Terzioglu & Zaumseil 2006).

BEISPIEL

Herr Geh sucht seinen Psychiater auf, weil ihn gegenwärtig die von den Medikamenten verursachte Müdigkeit sehr beeinträchtigt.
In Kürze wird seine Leistungsfähigkeit sehr gefordert sein, da er sein Gesellenstück als Tischler fertigstellen muss. Der Arzt schlägt verschiedene Möglichkeiten vor: Umstellung auf ein anderes Medikament, Reduktion des gegenwärtigen Medikaments mit zwei Arztkontakten pro Woche, Reduktion des gegenwärtigen Medikaments mit zwei Telefonkontakten pro Woche. Beide entschei-

den schließlich, dass zunächst das Medikament reduziert wird, und vereinbaren zudem Telefonkontakte. Herr Geh wünscht nur monatliche Termine, um seinen Fahraufwand zu reduzieren, sein Arzt hält in Anbetracht der Medikamentenreduktion häufigere Termine für sinnvoll. Beide einigen sich auf einen 14-tägigen Kontakt.

Herr Geh betont außerdem, dass er längerfristig mit weniger Medikamenten auskommen möchte. Für einen späteren Zeitpunkt wird deshalb vereinbart, dass er von seinem Psychiater über verschiedene Möglichkeiten der Psychotherapie informiert wird.

Nicht ganz unberechtigt ist die Frage, was an diesem Vorgehen so besonders sein soll? Der Blick auf den psychiatrischen Alltag liefert die Antwort, denn auch heute noch ist die Behandlungspraxis von einer partnerschaftlichen Entscheidungsfindung manchmal noch weit entfernt. In vielen Fällen kommt es zur sogenannten »blinden Compliance«, das heißt, der Betroffene fügt sich ohne hinreichende Informationsvermittlung den Vorschlägen des Behandlers. Oft kommt es auch zur »informationsgebundenen Compliance«: Der Patient wird zwar angemessen informiert, die Entscheidung wird dann aber doch durch den Behandler getroffen. Häufig lässt sich auch beobachten, dass es deutlich an einer vertrauensvollen Zusammenarbeit mangelt. Aus Angst verschweigt der Patient seinem Arzt dann wichtige Informationen, beispielsweise wahrgenommene Frühwarnzeichen, parallele Behandlungsversuche mit anderen Methoden oder eine eigenmächtig vorgenommene Medikamentenreduktion.

Untersuchungen zeigen, dass Menschen mit einer psychischen Erkrankung in ähnlichem Maß an den Behandlungsentscheidungen beteiligt werden möchten wie somatisch Kranke. Fast 90 Prozent aller Patienten in Deutschland wünschen eine Beteiligung an solchen Entscheidungen. Nur etwa die Hälfte von ihnen gibt an, dass ihrem

Wunsch von ärztlicher Seite auch nachgekommen wurde. Die Notwendigkeit einer Verhaltensänderung auf ärztlicher Seite ist also offensichtlich. Dringend nötig ist entsprechende Fortbildung. So zeigen Untersuchungen bei Hausärzten, dass die wegen einer Depression in Behandlung befindlichen Patienten kaum in die Entscheidungsfindung einbezogen wurden (ELWYN u. a. 2001). Eine durchschnittliche Konsultation dauerte seinerzeit 16 Minuten; 12 Minuten davon wurden mit der Erörterung der Erkrankung verbracht, der Entscheidung dagegen wurde nur wenige Minuten gewidmet. Nach einer Fortbildung sprachen die Ärzte weniger über die Symptome und mehr über die Behandlungsalternativen. Die Patienten waren mit der Behandlung zufriedener und diese war auch erfolgreicher. > Institutionelle Mitbestimmung, Seiten 143 ff.

Zur Empowerment- und Recoveryförderung ist aber auch dringend eine Fortbildung für Betroffene nötig. Sie sollten Hilfestellung im Umgang mit ihrem Arzt erhalten, sollten über ihre Rechte besser informiert sein und Unterstützung darin bekommen, mutiger im Einfordern von Informationen zu werden. Die vielerorts entstehenden Recovery-Colleges bieten solche und weitere Fortbildungen und Veranstaltungen von Erfahrenen für Erfahrene an.

Die klassischen Empowermentstrategien wurden für Klienten entwickelt, denen oft über Jahrzehnte ihr Selbstbestimmungsrecht von Behandelnden oder vom sozialen Umfeld nicht zugebilligt wurde. Viele der hier vorgestellten klassischen Strategien, um Selbstbestimmung bei Klienten zu ermöglichen, sind aber nicht zwingend für alle Klientengruppen hilfreich. In den letzten Jahren sah sich die psychiatrische Arbeit zunehmend mit jüngeren, relativ schwer erkrankten Klienten konfrontiert, die eher einer pädagogischen Begleitung bedürfen, als dass ihnen möglichst viele »Selbstbestimmungsmöglichkeiten« eingeräumt werden sollten. Wer in seiner Kindheit und Jugend beispielsweise mit fehlender Grenzsetzung aufwuchs, bedarf oft eher einer Unterstützung, die ihm hilft, solche Grenzsetzungen im sozialen Miteinander wahrzunehmen und zu achten.

Hilfreiche Fragen für Fallarbeit und Supervision:

Die Persönlichkeit des Helfers

Die Haltung der Umgebung des Betroffenen beeinflusst in einem hohen Maße, ob es ihm gelingt, seine Selbstständigkeit, Eigenaktivität und Selbstbestimmung zu entwickeln.

Die Persönlichkeitseigenschaften des Professionellen werden moduliert durch die Person des Betroffenen, hier wirken Übertragungs- und Gegenübertragungsgefühle, die möglichst bewusst gemacht werden sollten.

1. Wie leicht bzw. schwer fällt es mir, Entscheidungen von Klienten mitzutragen, die ich selbst nicht für sinnvoll halte?
2. Wie leicht bzw. schwer fällt es mir, fehlende oder geringe Fortschritte bei Klienten auszuhalten?
3. Wann werde ich leicht ungeduldig?
4. Bei welchen Klientengruppen neige ich dazu, zu viel Verantwortung zu übernehmen (Männer vs. Frauen, ältere vs. jüngere Klienten, bestimmte Diagnosegruppen)?
5. Wann habe ich mich das letzte Mal dabei erwischt, zu viel Verantwortung zu übernehmen bzw. zu schnell oder zu viel Hilfe anzubieten?
6. Wie schwer bzw. leicht fällt es mir, unangepasste Lebensweisen meiner Klienten zu akzeptieren?

Empowerment bzw. Recovery und Psychopharmaka

Medikamente sind für viele Betroffene eine wichtige Möglichkeit der aktiven Einflussnahme auf ihre Erkrankung. In vielen Fällen ermöglichen sie erst weitergehende Selbsthilfe, Selbstbestimmung und den Genesungsprozess. Und doch wurde die Bedeutung der Medikation in den letzten Jahrzehnten überschätzt. So wird es verständlich, dass die Medikamenteneinnahme und das Empowerment bzw. Recovery manchmal fast schon als Gegensätze betrachtet werden.

Die Diskussion über Psychopharmaka, speziell über Neuroleptika, wird ausgesprochen ideologisch geführt: Sind Medikamente Teufelszeug oder ein Segen? Durch diese polemische und polarisierte Auseinandersetzung werden wichtige Details der Verordnungspraxis und des Umgangs mit Medikamenten zu wenig wahrgenommen. Sie aber sind gerade unter dem Blickwinkel von Empowerment sehr wichtig: Wie muss mit Medikamenten umgegangen werden, damit die Selbsthilfe- und Selbstbestimmungsmöglichkeiten betroffener Menschen nicht behindert, sondern im Idealfall noch gefördert werden? Medikamente sind nicht »an sich« gut oder schlecht. Es geht darum, wie sie verordnet und eingesetzt werden und welche Erwartungen Betroffene mit ihnen verbinden.

Der Recoveryansatz stellt keine Positionierung für oder gegen Medikamente dar. Da im Recoveryansatz der subjektive Blick des Betroffenen die zentrale Rolle spielt, muss der Betroffene (ggf. mit Unterstützung) herausfinden, ob Medikamente für seinen Genesungsprozess und sein persönliches Wohlbefinden hilfreich sind oder nicht. Es liegen zahlreiche Studien vor, die den symptomreduzierenden Effekt von Medikamenten nachweisen. Gerade in akuten psychotischen Krisen sind Medikamente oft hoch wirksam, um die Krise zum Abklingen zu bringen. Ebenfalls liegen zahlreiche Untersuchungen darüber vor, dass Medikamente einen krisenhinauszögernden Effekt haben. Auch wenn sie nicht in der Lage sind, weitere Krisen auszuschließen, so reduzieren sie doch die Wahrscheinlichkeit, wieder in eine Krise zu geraten. Es gibt jedoch keinerlei wissenschaftlichen Nachweis dafür, dass sich Medikamente positiv auf den Recoveryprozess auswirken würden. Daher kann es unter dem Recoveryblick keine Positionierung der professionellen Seite pro Medikamente geben.

SELBSTREFLEXION

Wenn ich selbst psychotisch würde, möchte ich dann mit Medikamenten behandelt werden? Welche Medikamente würde ich akzeptieren, welche nicht? Wie wichtig wäre mir persönlich mein Recht auf Selbstbestimmung auch bei der Medikation?

Bei einer Befragung von hundert Professionellen lehnten 30 Prozent die Einnahme von Neuroleptika für den Fall ab, dass sie selbst psychotisch würden (Amering u. a. 1999).

Neuroleptika haben einen deutlichen symptomreduzierenden Effekt. Sie zögern außerdem Krisen hinaus. Es gibt jedoch keinen Nachweis dafür, dass sie sich positiv auf den Genesungsprozess auswirken.

Psychopharmaka und Selbsthilfe

Sehr lange hat die klassische Psychiatrie einseitig auf eine medikamentöse Unterstützung gesetzt, anstatt auch die Selbsthilfefähigkeiten betroffener Menschen zu fördern. Mancherorts geschieht das auch heute noch. So wird im stationären Kontext oft intensiv an der Förderung der Behandlungsbereitschaft bezüglich Medikamente gearbeitet,

Selbsthilfestrategien werden aber oft vollkommen unzureichend bearbeitet. Eine wissenschaftliche Begründung für diese doch absurde Behandlungsstrategie ist weit und breit nicht in Sicht.

Medikamenteneinnahme und Selbsthilfe sind kein Gegensatzpaar, sondern in den meisten Fällen eine wichtige Ergänzung. Das gelingt jedoch nur, wenn mit Medikamenten so umgegangen wird, dass Selbsthilfe möglich bleibt. Dazu gehört beispielsweise, dass Betroffenen der symptomreduzierende bzw. krisenvermeidende Effekt von Psychopharmaka realistisch vermittelt wird. Psychopharmaka beseitigen keine psychosozialen Schwierigkeiten und bieten keine Garantie für Symptomreduktion oder Krisenprophylaxe. Sie sind jedoch für viele Betroffene ein wichtiges Hilfsmittel und sollten durch andere Unterstützungsformen wie Selbsthilfe oder Psychotherapie ergänzt werden.

Die gewählte Medikationsstrategie kann das Erproben und Nutzen von Selbsthilfestrategien fördern oder behindern. So kann eine Hochdosierung dazu führen, dass auch alltägliche, aus dem psychosozialen Kontext erklärliche Befindlichkeitsstörungen nicht mehr wahrnehmbar sind. Die Wahrnehmung solcher Veränderungen ist jedoch notwendig, um einen Zusammenhang zwischen dem eigenen Verhalten, äußeren Bedingungen und dem persönlichen Befinden herzustellen (»Wenn ich entspannter bin, beziehe ich die Dinge nicht so schnell auf mich. Also ist es gut, wenn ich mehr für meine Entspannung tue«). Eine hohe Medikation kann auch dazu führen, dass Körperempfindungen und Gefühle nur noch eingeschränkt wahrgenommen werden, wodurch emotionale Verarbeitungsprozesse, etwa die Trauer im Genesungsprozess, erschwert werden.

Manchmal wird von professioneller Seite suggeriert, dass eine Medikation auch ohne weitere Hilfemöglichkeiten eine hinreichende Behandlungsstrategie sei. Längerfristig führt dies zu einer »Abhängigkeit« von Medikamenten, das heißt, dieser Zustand ist nur mit Medikamenten aufrechtzuerhalten, Formen der Selbsthilfe können nicht erprobt und genutzt werden. Das hat verschiedene negative Folgen:

- Das Selbstvertrauen und das Gefühl von Selbstwirksamkeit sinken, da sich Betroffene als hilflos und abhängig von der Medikation erleben.
- Beim Absetzen der Medikamente besteht eine hohe Krisengefahr, da keine alternativen Schutzmöglichkeiten erarbeitet wurden.
- Die Betroffenen sind langfristig den unerwünschten Wirkungen der Medikamente ausgesetzt.
- Das Absetzrisiko steigt, da sich die Betroffenen fälschlicherweise sicher fühlen (»Mir geht es doch gut«).

Eine selbsthilfeorientierte Medikationsstrategie wird Dosierungen wählen, die Selbstwahrnehmung und Selbstreflexion weiterhin ermöglichen. Außerdem wird dem Betroffenen, falls er dies wünscht, Einfluss auf die aktuelle Medikation gewährt. So lernt er, eigenes Befinden durch Verhaltensänderungen oder durch eine veränderte Medikation zu beeinflussen. Er behält ein hohes Maß an Kontrolle und oftmals können so auch niedrige Dosierungen oder eine nur zeitweilige Medikation erreicht werden.

Es können folgende Medikationsstrategien unterschieden werden:

Standardmedikation: Das Medikament wird als alleiniger Schutz vor weiteren Krisen betrachtet. Entsprechend hoch wird das Medikament oft dosiert, obwohl es keine objektiven Belege dafür gibt, dass höhere Dosierungen zu höherem Schutz führen.

Niedrigmedikation: Medikament und Eigenaktivität des Betroffenen bilden den Krisenschutz, entsprechend kann das Medikament eher niedrig dosiert werden.

Intervallmedikation: Nur vor und in kritischen Situationen wird ein Medikament eingesetzt. Intervallmedikation setzt voraus, dass der Betroffene seine Krisenmuster und seine Frühwarnzeichen gut kennt und eine vertrauensvolle Beziehung zwischen Arzt und Patient besteht.

Bedarfsmedikation: Diese wird ohne nochmalige Absprache mit dem Arzt vom Betroffenen eigenständig genommen, sobald er bemerkt, dass die Unterstützung durch das Medikament für ihn hilfreich wäre. Das kann sowohl als alleinige Medikation als auch als Ergänzung zu einer Standard- bzw. Niedrigmedikation dienen.

Depotmedikation: Unter dem Blickwinkel der Selbsthilfeförderung sollte immer die Möglichkeit einer Niedrig-, Intervall- oder Bedarfsmedikation erwogen werden. Eine in Form von Spritzen verabreichte neuroleptische Medikation (Depotmedikamente) behindert häufig Möglichkeiten der Selbsthilfe und Selbstbestimmung. Betroffene haben dann über eine längere Zeit keine Möglichkeit mehr, auf die Dosierung Einfluss zu nehmen. Die Medikation bleibt relativ fremdbestimmt. Anstelle eines Aushandelns zwischen behandelndem Arzt und Patient tritt die chemische Kontrolle. Gerade mit der verbesserten Kontrolle wirbt die Pharmaindustrie für diese Medikamente. Um auch gegen Ende des Wirkungszeitraums noch eine genügende Wirkung zu erreichen, wird eine überhöhte Dosis vor allem in den ersten Tagen in Kauf genommen. Damit sind aber für den Betroffenen oft massive unerwünschte Wirkungen wie starke Müdigkeit und Antriebseinschränkungen verbunden. Allerdings gibt es auch Personen, die Depotinjektionen als den geringeren Eingriff in ihre Lebensqualität erleben als die oft mehrmals tägliche Einnahme von Tabletten.

Selbsthilfe und Medikamente sind kein Widerspruch. Eine einvernehmlich entwickelte Medikationsstrategie, möglichst im Niedrigdosisbereich, führt beim Betroffenen häufig dazu, schrittweise Zusammenhänge zwischen Verhalten und Befinden wahrzunehmen.

Es gibt verschiedene Gründe dafür, dass in der heutigen psychiatrischen Praxis sehr oft allein die Medikamente zur Krisenprophylaxe genutzt werden. Fehlende Zeit und geringe finanzielle Vergütung führen neben anderen Gründen dazu, dass Klienten vielfach wenig Unterstützung beim Erarbeiten eigener Einflussmöglichkeiten erhalten. Auch die »Einflüsterungen« der Pharmaindustrie haben sicher ihre Wirkung. Ferner sind manche Ärzte der Meinung, dass weitere akute Krisen durch eine hohe Medikation vermieden werden könnten, auch wenn der Preis dafür hoch ist. Zahlreiche Studien zeigen jedoch, dass das gar nicht möglich ist. Selbst unter einem Depotneuroleptikum dekompensieren rund 20 Prozent der Betroffenen innerhalb eines Jahres (Aderhold 2007). Neuroleptika suggerieren also eine nicht vorhandene Sicherheit. Ein einseitiges Vertrauen auf sie kann sogar rückfallbegünstigend sein. > Motivation, Seiten 17 f., 91 f.

Information zu mehr Selbstbestimmung

Betroffene Personen haben auch bei der Medikation ein Recht auf Selbstbestimmung, das heißt, sie können sich für oder gegen eine medikamentöse Unterstützung entscheiden. Dieses Recht ist gesetzlich in wenigen Ausnahmefällen eingeschränkt. Und doch erleben es Betroffene im Alltag weiterhin, dass Patienten auf subitle Weise unter Druck gesetzt werden, damit sie die Medikation akzeptieren, beispielsweise indem ihnen doch vornehmlich medikamentenfreundliche Informationen vermittelt werden. Ihnen wird vor Augen geführt, wie hoch ihre Rückfallgefahr ohne Medikamente wäre, und Informationen über alternative Behandlungsformen werden ihnen verwehrt, ganz besonders jene Informationen, die zur Ablehnung der Medikation führen könnten. Einige psychoedukative Programme erwecken eher den Eindruck einer Medikamentenschulung als einer umfassenden Information über unterschiedliche Behandlungsmethoden.

Ein Gespräch über die möglichen Vor- und Nachteile der unterschiedlichen Behandlungsmöglichkeiten ist dringend erforderlich, findet aber oft nicht in hinreichendem Umfang statt. Diese Beeinflussung führt dazu, dass sich die Patientinnen und Patienten dem Druck beugen und die verordnete Medikation einnehmen – jedenfalls solange sie in der Klinik sind. Spätestens zu Hause regen sich dann aber wieder die Zweifel. Unter Umständen versuchen sie diese Zweifel mit ihrem ambulant weiterbehandelnden Arzt zu besprechen, werden aber auch dort möglicherweise zur Medikation gedrängt. Die Patienten machen dann die Erfahrung, dass sie mit ihrem Arzt nicht über ihre Zweifel bezüglich der Medikation sprechen können. Wenn ihre Zweifel jedoch zu stark werden, setzen sie die Medikamente ohne Rücksprache mit ihrem Arzt und ohne seine Unterstützung ab, häufig auch noch von einem auf den anderen Tag, also unter den denkbar ungünstigsten Bedingungen. Das wiederum erhöht die Gefahr einer erneuten psychotischen Krise und einer abermaligen Klinikeinweisung.

Diese Dynamik bildet einen Teufelskreis: Der Druck von professioneller Seite bewirkt vordergründige und kurzfristige Anpassung, führt aber später zum Absetzen. Das Absetzen und die häufig daraus folgende erneute Krise wiederum erhöhen den Druck auf den Betroffenen, zukünftig auf jeden Fall das Medikament weiter einzunehmen. Möglicherweise werden ihm auch noch Schuldgefühle gemacht: »Ich habe Ihnen doch gesagt, dass Sie das Medikament weiter nehmen sollen. Sie sind selbst schuld, dass Sie jetzt wieder eine Krise haben.«

ABBILDUNG 2

Teufelskreis »Gebot statt Angebot«

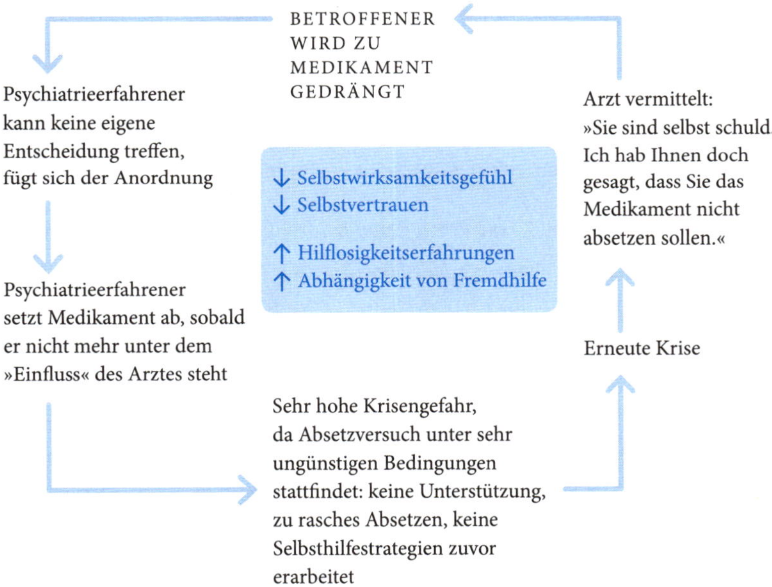

In diesem Teufelskreis wird Patienten das Recht auf Selbstbestimmung verwehrt. Stattdessen werden sie gedrängt, sich für eine von den Fachpersonen für sinnvoll gehaltene Wahl zu entscheiden, wodurch sie sich aber nicht selbst entscheiden, sondern sich lediglich anpassen. Viele Fachleute, die sich um die Selbstbestimmung ihrer Klienten bemühen, berichten, dass die allermeisten die Medikamente nicht ablehnen, sondern sich im Anschluss einer Aufklärung und Diskussion von sich aus für eine Medikation entscheiden. Durch die bewusste eigene Entscheidung reduziert sich in der Folge die Gefahr ungünstiger Absetzversuche. Eine eigene Entscheidung ist aber nur aufgrund eigener Erfahrungen möglich. Wenn ein ersterkrankter Psychosepatient seine Medikamente absetzt, ist das eine vollkommen normale und auch sinnhafte Verhaltensweise: Er versucht, Erfahrungen mit dem Medikament zu sammeln und zu erproben, wie es ihm ohne ergeht. Patienten mit anderen Erkrankungen machen das ganz genauso. Wer von seinem Arzt gesagt bekommt, er müsse aufgrund seines Diabetes eine bestimmte Diät einhalten, wird sich auch nicht sofort daran halten. Erfahrungen mit Medikamenten können Betroffene beispielsweise durch sogenannte gestützte Absetzversuche machen.

Eine eigene Entscheidung bezüglich der Medikation kann der Patient nur dann treffen, wenn er nicht einseitig zu einer Wahl gedrängt wird. Durch Druck wird Anpassungsbereitschaft oder Reaktanz gefördert, nicht aber Empowerment. Patienten, die sich nicht selbst für Medikamente entschieden haben, sondern nur den Empfehlungen des Arztes gefolgt sind, setzen die Medikamente ohnehin oft wieder ab.

BEISPIEL

In der Visite berichtet Frau Ell, die erstmals an einer Psychose erkrankt ist, dass sie große Zweifel bezüglich einer längerfristigen neuroleptischen Medikation habe. Ihr Arzt vereinbart mit ihr einen Gesprächstermin und erkundigt sich genau nach ihren Bedenken. Er vermittelt ihr, dass die Entscheidung für oder gegen eine Medikation bei ihr liege, und empfiehlt, auch mit anderen Betroffenen und mit ihrer langjährigen Freundin über diese Frage zu sprechen. Beide vereinbaren einen weiteren Gesprächstermin. Bis dahin hat Frau Ell mit den Mitgliedern einer Selbsthilfegruppe über eine mögliche längerfristige Medikation gesprochen. Sie entscheidet sich schließlich dafür, nachdem ihr mehrere Mitglieder der Selbsthilfegruppe von erneuten Krisen unmittelbar nach dem Absetzen der Medikamente berichtet haben.

ABSETZVERSUCHE Es ist ganz natürlich, dass viele Betroffene irgendwann über einen Absetzversuch nachdenken. Haben die Medikamente starke unerwünschte Wirkungen, so drängt sich diese Frage besonders auf. Der Wunsch, die Medikamente abzusetzen, kann also nicht auf eine endogene Krankheitsdynamik zurückgeführt werden, sondern ist völlig »normal«.

Sehr viele Betroffene haben große Mühe damit, einen Arzt zu finden, der mit ihnen einen Absetzversuch ausprobiert. Eine Patientin berichtete, sie habe sich nach neun Jahren neuroleptischer Medikation für einen Absetzversuch entschieden. Ihr behandelnder Arzt habe ihr aber offen gesagt, dass er für solche »Experimente« nicht zur Verfügung stehe und sie sich einen anderen Arzt suchen solle. Empowerment- und recoveryorientiert ist ein solches Vorgehen natürlich nicht, es erscheint mir in vielen Fällen eher als Ausdruck einer persönlichen Kränkung. Sinnvoll ist es hingegen, auf eine gemeinsame, verantwortungsvolle Entscheidung hinzuwirken, und diese so zu begleiten, dass sie eine möglichst hohe Erfolgswahrscheinlichkeit hat. Dazu sind in den letzten Jahren zunehmende Konzepte erarbeitet worden (SCHLIMME u. a. 2019).

Mit der Frage »Soll ich absetzen?« ist die Frage »Wie sollte das ablaufen?« verknüpft. Verschiedene Fragestellungen tauchen beim Betroffenen auf oder können von professioneller Seite als Anregungen eingebracht werden:

- Welche Möglichkeiten habe ich, um mich vor weiteren Krisen zu schützen? Was davon habe ich schon erprobt?
- Welche Konsequenzen hat es für mich, wenn ich wieder in eine Krise gerate?
- Welche Konsequenzen hat es für mein Umfeld, wenn ich wieder in eine Krise gerate?
- Wie kann ich die möglichen negativen Konsequenzen möglichst geringhalten?
- Was ist die beste Zeit für einen Absetzversuch?

- Welche Unterstützung benötige ich, damit ich möglichst risikolos die Medikamente absetzen kann? Von professioneller Seite, von Angehörigen und Freunden?

Es ist stets aufs Neue zu prüfen, ob angebotene Fremdhilfe noch notwendig ist und gewünscht wird oder ob der Betroffene zukünftig mit einem größeren Grad an Selbsthilfe und Autonomie zurechtkommen kann. Das gilt für jede Form der Fremdhilfe. Absetzversuche sollten jedoch verantwortlich erfolgen und eine hinreichende Erfolgschance haben. Wenn diese gegeben ist und wenn keine massiven Selbst- oder Fremdgefährdungen in einer möglichen erneuten Krise zu befürchten sind, dann gibt es für den Arzt keine Legitimation, sich dem Wunsch des Patienten zu verweigern!

BEISPIEL 1

Herr Uh hat in neun Monaten dreimal seine Medikamente abgesetzt und ist jeweils innerhalb kürzester Zeit wieder psychotisch geworden und stationär eingewiesen worden. Sein durchaus empowermentorientierter Arzt diskutiert mit ihm erneut über die Medikation und rät ihm dringend davon ab, die Medikamente nochmals unter ähnlichen Bedingungen abzusetzen. Er bietet ihm jedoch an, einen längerfristigen Reduktionsversuch zu planen, und rät begleitend zur Aufnahme einer Psychotherapie, in der dann alternative Formen der Krisenprophylaxe erarbeitet werden können. Herr Uh stimmt diesem Vorschlag zu und möchte mit der Psychotherapie sofort beginnen.

BEISPIEL 2

Frau Beh bemüht sich jetzt schon seit fünf Jahren darum, medikamentenfrei zu leben. Sie hat ihre Medikation innerhalb von mehreren Jahren auf ein Viertel reduziert, jedoch in Krisenzeiten immer wieder selbstständig erhöht. Gegenwärtig ist sie in einer

Phase der beruflichen Veränderung. Um den längerfristigen Erfolg ihrer Absetzbemühungen nicht zu gefährden, entscheidet sie sich, erst nach der Veränderung ihr Medikament ganz abzusetzen.

Es gibt eine ganze Reihe von Strategien zur Förderung eines möglichst selbstbestimmten Umgangs mit Medikamenten. Dabei geht es darum, bestimmte Verhaltensweisen zu unterlassen, die von der klassischen Psychiatrie und von eher paternalistisch denkenden Ärzten lange praktiziert wurden und teils auch noch werden. Parallel existieren sinnvolle Verhaltensstandards, um mit dem Klienten engagiert in Kontakt zu bleiben, auch wenn er sich gegen Medikamente entscheidet.

Nicht förderliche Verhaltensweisen sind unter anderem:

- Angstgefühle erzeugen: »Wenn Sie das Medikament nicht nehmen, werden Sie garantiert wieder psychotisch.«
- Unterstützung versagen: »Wenn Sie keine Medikamente wollen, brauchen Sie nicht mehr zu mir zu kommen.«
- Falsche Informationen: »Die Medikamente haben keine gefährlichen Nebenwirkungen.« Oder: »Ihr Gehirn braucht die Wirkstoffe des Medikaments.«
- Gewalt oder Zwang androhen: »Wenn Sie das Medikament absetzen, muss ich eine Zwangseinweisung veranlassen.«

Förderlich hingegen sind:

- Vor- und Nachteile der Entscheidung mit dem Klienten erörtern: »Lassen Sie uns gemeinsam überlegen, was für und was gegen Medikamente spricht.«
- Empathie zeigen: »Ich kann gut verstehen, dass es eine schwierige Entscheidung ist, sich für oder gegen Medikamente zu entscheiden, insbesondere bei Neuroleptika. Mir würde es da wahrscheinlich nicht anders ergehen als Ihnen.«

- Entscheidung weitestmöglich respektieren und eigenen Standpunkt vertreten: »Ich halte Ihre Entscheidung nicht für richtig, aber ich werde Ihre Entscheidung mittragen.«
- Beziehung aufrechterhalten: »Sie sollten auf jeden Fall weiter zu mir kommen, auch wenn Sie das Medikament nicht nehmen.«
- Intensiveren Kontakt anbieten: »Ich schlage Ihnen vor, dass Sie nach dem Absetzen häufiger zu mir kommen, da dies eine sensible Zeit ist.«
- Eine Alternative zu Medikamenten entwickeln: »Wir sollten gemeinsam überlegen, wie Sie sich außer durch Medikamente vor weiteren Krisen schützen können.«
- Aushandeln: »Ich glaube nicht, dass wir Ihre akute Krise ohne Medikamente in den Griff bekommen. Wenn Sie aber keine Medikamente nehmen möchten, schlage ich Ihnen vor, dass Sie es zwei Wochen ohne Medikamente probieren und sich bereit erklären, über meinen Vorschlag nochmals nachzudenken, falls es Ihnen danach nicht besser gehen sollte.«

Auf jedem Genesungsweg stellt sich für jeden Betroffenen irgendwann die Frage, ob er weiter Medikamente nehmen möchte oder nicht. Aus Recoverysicht sollte möglichst pragmatisch und ideologiefrei mit Medikamenten umgegangen werden. Betroffenen sollten keine Hürden in den Weg gestellt werden, wenn sie einen verantwortbaren Absetzversuch unternehmen möchten. Wer sich für eine längerfristige Medikation entscheidet, sollte dies aber auch nicht als Versagen oder gescheitertes Recovery interpretieren. Dies geschieht allerdings oft, da in der Gesellschaft und auch unter Betroffenen die Haltung verbreitet ist: Wer Medikamente nimmt, ist krank. Wer keine nimmt, ist gesund. Für manche Betroffene ermöglichen Medikamente erst das Fortsetzen eines Genesungsprozesses, für andere wird dieser durch Medikamente behindert.

Förderung von Eigenaktivität

In der psychiatrischen Arbeit haben wir es oft mit passiven und hoffnungslosen Klientinnen und Klienten zu tun. Gemeint sind Personen, die manchmal Mühe damit haben, grundlegende Aktivitäten wie Körperpflege oder ein Mindestmaß an Bewegung umzusetzen. Oder jene Menschen, die häufig im Raucherzimmer eines Wohnheims sitzen, denen Kaffee und Zigaretten sehr wichtig sind und die von Fachpersonen vorrangig in Ruhe gelassen werden wollen. In der Fachliteratur wird auch von demoralisierten oder von entmutigten Klienten gesprochen. Oft aufgrund langjähriger Lernerfahrung haben diese Menschen das Zutrauen in die Welt und in ihre eigenen Fähigkeiten verloren. Ihnen sind oft Zuversicht, Mut und eine positive Haltung zu sich selbst und zum Leben abhandengekommen.

Viele dieser Menschen haben lange Jahre in psychiatrischen Institutionen zugebracht. Ältere Klienten waren möglicherweise mit psychiatrischen Behandlungsstrukturen konfrontiert, die ihre Würde gebrochen und ihnen ein Gefühl des Ausgeliefertseins vermittelt haben. Heute würde man viele dieser Personen als traumatisiert bezeichnen. Sie leben in Heimen, auf Langzeitstationen, im Wohnungslosenmilieu, in therapeutischen Wohngemeinschaften oder in der psychiatrischen Familienpflege. Aber auch jüngere Menschen befinden sich manchmal über lange Zeiträume in einem Zustand von Passivität und Resignation. Bei ihnen gibt es andere Gründe als die genannten. Oftmals wurden aber auch sie auf verschiedene Weise traumatisiert und durch ihre lebensgeschichtlichen Erfahrungen dauerhaft entmutigt.

Die klassische Psychiatrie hielt Passivität lange für einen vornehmlich endogenen Prozess und hat ihn unter anderem als Negativsymptomatik beschrieben. Natürlich gibt es krankheitsbedingte Faktoren, die Passivität, Antriebsarmut, Energieverlust und Ähnliches mitverursachen. Daneben beeinflussen aber auch Medikamente, Lerngeschichte, soziale Faktoren oder persönlichkeitsbedingte Prozesse die Fähigkeit und die Bereitschaft eines Menschen, aktiv zu werden. Solche Faktoren sind für die Empowermentarbeit besonders interessant, da sie beeinflussbar sind. Ein Teil der Passivität der Klienten, die gerade in vielen Langzeitinstitutionen zu beobachten sind, ist durch die Rahmenbedingungen in der Institution zustande gekommen und wird dadurch aufrechterhalten. Diese Bedingungen bilden ein typisches Hindernis für Empowermentprozesse.

ERLERNTE HILFLOSIGKEIT Das wissenschaftliche Konzept der »Erlernten Hilflosigkeit« (SELIGMAN 2016) ist sehr hilfreich, um längerfristig passive Klienten besser verstehen zu können. Erlernte Hilflosigkeit besagt: Menschen, die immer wieder die Erfahrung machen, durch eigenes Handeln die äußere Situation nicht oder kaum beeinflussen zu können, geraten in einen Zustand, in dem sie sich selbst nichts mehr zutrauen, sich zurückziehen, die Hoffnung auf Veränderung verlieren sowie inaktiv und antriebslos werden. Es gibt eine hohe Korrelation zwischen dem Gefühl der erlernten Hilflosigkeit und einer depressiven Störung: Wer in seinem Leben häufig Ohnmacht erfahren hat, der hat eine erhöhte Wahrscheinlichkeit, später an einer Depression zu erkranken.

Viele psychiatrieerfahrene Menschen befinden sich im Zustand erlernter Hilflosigkeit. Sie hatten in ihrer Lebensgeschichte oft keinen oder kaum Einfluss darauf, was mit ihnen geschah: ob sie wieder krank wurden, wie sie in der Klinik behandelt wurden, ob sich Freunde zurückzogen, ob ihnen ein beruflicher Wiedereinstieg gelang etc. Wenn ein Mensch, der sich im Zustand der erlernten Hilflosigkeit befindet, die Möglichkeit erhält, doch Einfluss auf sein Leben zu nehmen, so wird er diese Möglichkeit vermutlich nicht ergreifen, sondern in seinem Zustand von Passivität und Hoffnungslosigkeit verharren. Die Aufgabe der Empowermentförderung besteht darin, schon früh Bedingungen zu schaffen, damit Klienten möglichst wenige Erfahrungen von Hilflosigkeit machen. Wenn sich jemand aber bereits in diesem Zustand befindet, so sind spezifische und längerfristige Interventionen nötig, um ihm einen Ausstieg zu ermöglichen.

Selbstwirksamkeitsgefühl

»Selbstwirksamkeitsgefühl« meint die Überzeugung, persönliche Fähigkeiten zu besitzen, um bestimmte Handlungen ausführen und Ziele erreichen zu können. Häufig bleiben Menschen passiv, weil sie gar nicht glauben, durch ihr Handeln etwas bewirken zu können. Nur wer erwartet, dass das eigene Handeln erfolgreich ist, der wird auch aktiv sein. Jemand, der der Überzeugung ist, er könne sowieso nichts bewirken, für den ist es »rational«, passiv zu bleiben. Glaubt jemand beispielsweise, dass er sowieso kein Bewerbungsgespräch erfolgreich überstehen wird, dann wird er sich auch nicht bewerben. Aus seinem subjektiven Blickwinkel wäre jedes Bewerbungsschreiben pure Zeitverschwendung. Das Selbstwirksamkeitsgefühl entscheidet darüber, was ich tue, wie sehr ich mich dabei anstrenge und wie viel Ausdauer ich dabei habe. Viele psychiatrische Klienten haben ein sehr schwaches Gefühl von Selbstwirksamkeit. Das ist ein zentraler Grund, warum sie nicht handeln.

Das Selbstwirksamkeitsgefühl wird durch verschiedene Aspekte beeinflusst:

Direkte positive Erfahrung: »Hoppla, ich kann das ja.«

Beobachtungen: »Was der kann, kann ich auch.«

Ermutigung: »Ich kann das, die anderen trauen mir das zu.«

Körperliches Befinden: »Spüre ich Kraft in mir oder bin ich immer nur müde und energielos?«

Ein Mensch braucht also direkte Erfahrungen, gute Modelle, Ermutigung und die Wahrnehmung der eigenen Lebendigkeit, um ein Selbstwirksamkeitsgefühl zu entwickeln und zu erhalten. Für die psychiatrische Arbeit stellt sich die Herausforderung, Bedingungen zu schaffen, die sich positiv auf das Selbstwirksamkeitsgefühl auswirken. Leider gibt es im psychiatrischen Kontext zahlreiche Bedingungen, die ein Selbstwirksamkeitsgefühl eher erschweren. Positive Erfahrungen etwa werden behindert, wenn Klienten unterfordert sind. Häufig fehlen auch positive Modelle. Die professionelle Pathologiesicht erschwert die Ermutigung, und das Wahrnehmen der körperlichen Kraft wird durch die Medikamentenwirkungen eingeschränkt.

BEISPIEL

Frau Oh arbeitet seit zehn Jahren in einer Werkstatt für behinderte Menschen. In den ersten Jahren fühlte sie sich bei jeder Tätigkeit überfordert. Trotzdem ermutigten die Mitarbeiter sie immer wieder, neue Tätigkeiten auszuprobieren, teils sogar gegen den Widerstand von Frau Oh. Während einer längeren Krankheitsphase der Sekretärin übernahm Frau Oh zunächst deren Kopierarbeiten und später zunehmend mehr Sekretariatsaufgaben. Heute hat Frau Oh einen 400-Euro-Job als Teilzeitsekretärin außerhalb der Werkstatt.

Viele psychiatrieerfahrene Menschen haben ein sehr schwaches Gefühl von Selbstwirksamkeit. Sie sind passiv, weil sie nicht glauben, durch ihr Handeln etwas bewirken zu können. Vor allem positive Lernerfahrungen reduzieren diese Haltung.

Grundrecht auf »minimale Aktivität«

In der Arbeit mit entmutigten Menschen stellt sich aus der Empowermentperspektive eine besondere Herausforderung: Haben Fachpersonen überhaupt das Recht, diese Menschen zu »aktivieren«? In unserer Gesellschaft gibt es noch keine Verpflichtung, selbst über sein Leben zu bestimmen, eigene Einflussmöglichkeiten auf die Erkrankung zu nutzen, gesund werden zu wollen oder aktiv zu sein. Es gibt vielmehr ein unverbrieftes Grundrecht auf etwas, das wir »minimale Aktivität« nennen können: Wer sich um seine Ernährung sorgen, sein Geld vom Sozialamt holen und seine Wohnung halbwegs sauber halten kann, wird in unserer Gesellschaft in Ruhe gelassen, vorausgesetzt, andere Menschen fühlen sich von ihm nicht gestört. Er darf zehn Stunden am Tag vor dem Fernseher sitzen oder so viele Zigaretten rauchen und so viel Kaffee trinken, wie er will und sich leisten kann.

Dieses Grundrecht sollte auch psychiatrieerfahrenen Menschen zustehen. In psychiatrischen Institutionen ist das aber oft nicht der Fall. Die Passivität wird als Krankheitsfolge interpretiert, der therapeutisch-pädagogisch zu Leibe gerückt werden muss. Wenn professionell Tätige nun unter dem Label Empowerment das Grundrecht auf »minimale Aktivität« beschneiden möchten, dann brauchen sie schon sehr gute Gründe dafür. Ich meine selbstverständlich nicht, dass es diese Gründe nicht gibt. Es geht nur darum, deutlich zu machen, dass wir nicht jede Aktivitätsförderung als Empowerment »verkaufen« können und dass wir dadurch auch Rechte unserer Klienten verletzen können. Empowerment und Recoveryförderung bei diesen Menschen bedeutet vor allem, sie in die Lage zu versetzen, selbst zu entscheiden, ob sie Empowerment wünschen und sich für Genesungsschritte engagieren möchten. Es besteht immer auch die Möglichkeit, in Passivität, Leid oder Hoffnungslosigkeit zu verharren. Dies tun viele Menschen außerhalb professioneller Hilfeangebote und psychisch kranken Menschen steht es genauso zu.

Vor allem langzeitkranke Menschen oder Personen, die viele Jahre in psychiatrischen Institutionen gelebt haben, fühlen sich von bestimmten Empowerment- und Recoveryanliegen manchmal eher überfordert, als dass sie diese freudig ergreifen und nutzen würden. Manche sprechen von einem Empowerment- und Recovery*stress* oder vom Zwang zur Genesung. Eine solche Einschätzung ist nur allzu verständlich und zumeist Folge langjähriger Lernerfahrungen. Wer bisher keine Selbsthilfe und Eigenaktivität praktiziert hat, der hat unter Umständen sogar Angst davor. So kann er etwa befürchten, die Fremdhilfe und Unterstützung zu verlieren, wenn er selbst zu aktiv wird. Wenn die Fremdhilfe als überlebensnotwendig angesehen wird, wird dieser Mensch selbstverständlich passiv bleiben. Wer bisher keine Selbsthilfe und Eigenaktivität praktiziert hat, ist meistens auch gar nicht der Überzeugung, durch Selbsthilfe etwas bewirken zu können.

Passivität kann allerdings auch eine sehr sinnvolle Selbsthilfestrategie sein. Das ist beispielsweise bei Menschen der Fall, die in ihrem Leben bereits sehr viele Misserfolge erlitten haben: Jeder neue Versuch beinhaltet die Gefahr, erneut zu scheitern. Da jeder Misserfolg das Selbstvertrauen destabilisiert, kann Passivität eine sinnvolle Bewältigungsstrategie sein, um sich vor weiterem Selbstwertverlust zu schützen. Hinter dieser Funktionalität von Resignation verbirgt sich die sinnvolle Haltung: »Besser, ich probier's gar nicht erst, als dass ich noch mal auf die Schnauze falle.«

Andere Klienten werden oder bleiben passiv, um sich vor übermäßigen Reizen zu schützen. Das gilt vor allem für psychoseerfahrene Personen, die sich oftmals den Reizen der Umgebung schutzlos ausgeliefert fühlen. Wenn professionell Tätige in solchen Fällen versuchen, Klienten zu mehr Aktivität zu motivieren, dann können sie sie möglicherweise in einen weiteren Verlust von Selbstvertrauen oder eine erneute psychotische Krise treiben.

Natürlich aber ist längst nicht jede Passivität eine Selbsthilfestrategie, doch die Möglichkeit sollte immer in Betracht gezogen werden.

Grundhaltung: passive Aktivität

Professionell Tätigen fällt das Nichthandeln schwerer als das Handeln. Dabei ist gerade die professionelle Zurückhaltung die Ermöglichung dafür, dass Betroffene ihre eigenen Fähigkeiten entdecken und nutzen lernen. »Man hilft den Menschen nicht, wenn man für sie tut, was sie selbst tun können« – dieses inzwischen geflügelte Wort Abraham Lincolns mag sofort einleuchten, und doch ist seine Umsetzung in der psychiatrischen Arbeit alles andere als leicht. Passivität von professioneller Seite bedeutet nämlich in gewisser Hinsicht ein »Sichausliefern« an den Patienten bzw. an die Erkrankung und ist auf professioneller Seite zumeist mit dem Empfinden von Kontrollverlust verbunden. Die Entscheidungen und Lösungsversuche Betroffener sind häufig nicht so geradlinig, wie sie von professioneller Seite gewünscht werden. Professionellen fällt es zudem schwer, Vertrauen in die Fähigkeiten des Gegenübers aufzubringen. Ohne Vertrauen aber ist Abwarten, ist »Lernenlassen« nicht möglich. Wenn der Betroffene etwas in meinen Augen garantiert nicht kann, dann brauche ich nicht zu warten, dann ist vielmehr Fremdhilfe angebracht. Professionelle Zurückhaltung ist damit immer an Vertrauen gebunden. Wenn Vertrauen nicht vorhanden ist, werden Lösungswege vorgegeben, Aufgaben abgenommen, Entscheidungen stellvertretend getroffen, kurz: Der professionell Tätige gerät in einen »fürsorglichen Aktivismus«, der dem Wohl und dem Schutz des Betroffenen dienen soll.

Diese Tendenz gibt es in fast allen helfenden Berufen und ist vor allem in der Psychiatrie eine große Gefahr. Schwer psychisch kranke Menschen sind während ihrer akuten Krankheitsphasen auf viel Unterstützung angewiesen; diese Unterstützung dann zum rechten Zeitpunkt zurückzunehmen und dem Gegenüber damit wieder mehr zuzutrauen, das ist ein schwieriger Balanceakt. Dabei sind natürlich nicht nur die psychiatrisch Tätigen an die schon eingeübte Rollenaufteilung der akuten Krankheitsphase »gefesselt«, sondern ebenso die Betroffenen selbst und auch ihre Angehörigen. Passive Aktivität bedeutet dann unter Umständen, einem Patienten gegen seinen eigenen Willen Unterstützung zu entziehen, worauf dieser im ungünstigen Fall mit Ärger oder Regression reagiert – möglicherweise aber auch mit zunehmender Aktivität.

Vor allem in Gruppen spüren professionell Tätige einen großen Druck zur Gestaltung und auch zur »Unterhaltung«. Passive Aktivität in der gruppentherapeutischen Arbeit bedeutet stattdessen, sehr sensibel für die Gruppenprozesse zu sein, unangenehme Stimmungen oder Ratlosigkeit auszuhalten, Gruppenabläufe weniger zu planen und Offenheit für neue und unerwartete Ideen zu beweisen.

Der Recoveryansatz lehrt uns zudem andere Zeithorizonte, als sie gewöhnlich in psychiatrischen Einrichtungen reflektiert werden. Während dort oft in Wochen oder Monaten gedacht wird, geschehen Genesungsprozesse oft eher in Jahrzehnten als in Jahren. So zeigt eine Befragung von genesenen Borderlinebetroffenen, dass ihre Gesundungswege zumeist ein Jahrzehnt oder länger gedauert haben (Knuf 2012). Mitarbeitende von psychiatrischen Einrichtungen sind oft dem zeitlichen Druck ausgesetzt, der von Krankenkassen oder anderen Geldgebern, von Vorgesetzten oder vom Mitarbeitenden selbst ausgeht. Dieser erschwert eher Genesungsprozesse, als dass er sie erleichtern würde.

Als professionell Tätige neigen wir zum »Machen«. Empowerment und Recoveryförderung bedeutet häufig gerade, durch Nichthandeln die Eigenaktivität der Klienten zu ermöglichen. Manchmal ist Nicht-Tun besser als Tun, nur »Dabeisein« besser, als schnelle Lösungswege zu suchen.

Professionelle Hindernisse für Eigenaktivität

Viele psychiatrische Langzeiteinrichtungen sind so strukturiert, dass sie die Eigenaktivität ihrer Klientinnen und Klienten nicht fördern, sondern sogar behindern. Das widerspricht dem Anliegen der Institution und schadet in den meisten Fällen den Betroffenen. Ein wichtiger Schritt in der Förderung von Eigenaktivität besteht daher darin, die eigene Einrichtung (Tagesablauf, Regeln, Strukturen etc.) daraufhin zu untersuchen, welchen Einfluss sie auf die Aktivität der Klienten hat.

BEISPIEL

Auf einer gerontopsychiatrischen Station wird das Essen im Tablettsystem »mundgerecht« angeliefert. Und das, obwohl viele Patienten sehr wenig Beschäftigung haben und es genügend Patienten gäbe, die gemeinsam mit einer Köchin bereit wären, das Mittagessen zuzubereiten.

Mitarbeiter psychiatrischer Einrichtungen sprechen manchmal vom »Hotel Mama« oder vom »All-inclusive-Angebot«. Gemeint ist damit, dass den Klienten viele Dinge abgenommen werden, auch solche, die sie selbst ausführen könnten. Dadurch werden sie dann in einer Einrichtung nicht befähigt, den Alltag selbstständiger zu gestalten, sondern sie verlieren weitere Fähigkeiten. Beispielsweise kann ein hoher Anspruch an die Sauberkeit in einer Institution dazu führen, dass Mitarbeiter schnell Reinigungsaufgaben für den Klienten übernehmen, wenn dieser sie vernachlässigt. Die Klienten geraten zunehmend in eine regressive Position, trauen sich bestimmte Tätigkeiten nicht mehr zu oder erlernen Strategien, um Hilfepersonen dazu zu bewegen, für sie aktiv zu werden. Im Extrem ist dieser Zustand als Hospitalismussyndrom beschrieben worden.

SELBSTREFLEXION

Wodurch behindert meine Institution die Eigenaktivität der Klienten? Wodurch würde ich mich selbst in meiner Eigenaktivität eingeschränkt fühlen, wenn ich Klient in meiner Institution wäre?

Natürlich kann nicht nur die Institution die Eigenaktivität eines Klienten behindern, sondern auch die Art und Weise, wie die dortigen Mitarbeiter mit dem Klienten umgehen. Die Persönlichkeit des Helfers entscheidet maßgeblich darüber, inwieweit Empowerment ermöglicht oder behindert wird. Das ist ein ganz normaler Prozess, der nicht nur in psychiatrischen Einrichtungen geschieht. Dies kommt in allen Situationen vor, in denen Menschen zusammenkommen, beispielsweise im privaten Umfeld und im Kontakt zwischen Eltern und ihren Kindern. Für die empowermentorientierte Arbeit ist es wichtig, mehr Wachsamkeit und Reflexion für diese »Fallen« zu entwickeln und sich als Mitarbeiter darum zu bemühen, sie zu überwinden. Beispielsweise wird Eigenaktivität behindert, wenn Mitarbeitende:

- die Kontrolle über die Situation behalten möchten (»Nur so, wie ich es im Kopf habe, ist es richtig«);
- Passivität schlecht ertragen können, das Zuschauen schwerfällt, sie immer etwas »zu tun« haben müssen (»Ich mach das mal schnell«);
- Langsamkeit oder Fehlerhaftigkeit schlecht ertragen können (»Anders geht das viel besser«);

- ungeduldig oder zu ehrgeizig sind und Veränderungsschritte »erzwingen« wollen;
- denken, dem Klienten etwas nicht »antun« zu können, und selbst aktiv werden (»Dem geht's doch schlecht, da kann ich ihm das doch wohl schnell mal abnehmen«);
- es als zu anstrengend empfinden, sich auf Diskussionen mit dem Klienten einzulassen, und ihm eine Aufgabe daher lieber abnehmen (»Letztes Mal habe ich auch schon so lange mit ihm darüber diskutiert. Das tue ich mir nicht noch mal an«);
- aktiv werden, weil der Klient die Aktivität wünscht und sie diesem »gefallen« möchten;
- das Gefühl haben, für ihr Geld etwas leisten zu müssen;
- nicht genug Zeit haben und etwas dann lieber schnell selbst machen.

MOTIVATION Gemeinhin sind wir Fachleute uns einig: Eine der Hauptschwierigkeiten in der psychiatrischen Arbeit besteht in der fehlenden Motivation der Klienten. Diese sind nicht oder nur wenig bereit, an bestimmten Therapieprogrammen teilzunehmen oder Eigenaktivität zu entfalten. Schnell heißt es dann über einen Klienten: »Der ist ja gar nicht motiviert.« Wir erklären das Scheitern unserer Intervention dann mit seiner mangelnden Motivation, womit der fehlende Wille des Gegenübers gemeint ist. Damit sind wir professionell Tätige »fein raus«. Wir müssen unsere Intervention nämlich nicht daraufhin hinterfragen, ob sie wirklich die Bedürfnisse des Klienten trifft, sondern geben letztlich einseitig ihm die »Schuld« für das Misslingen eines Hilfeangebotes.

Doch ganz so einfach ist es nicht, denn es gibt überhaupt keine unmotivierten Klienten. Menschen sind immer motiviert, die Frage ist nur, wozu! Wenn wir sagen: »Der ist ja gar nicht motiviert«, dann meinen wir damit: »Der möchte nicht machen, was wir für sinnvoll halten.« Viele psychiatrische Klienten wenden sehr viel Energie dafür auf, dass sie nichts tun müssen, passiv bleiben dürfen und sich in ihrem Leben nichts ändert. Auch das ist natürlich eine Form der Motivation, oft ist sie sogar sehr stark.

Es gibt keine unmotivierten Klienten, sondern die Frage ist immer: Wozu ist jemand motiviert?

Lange herrschte von professioneller Seite die Einschätzung, jemand sei entweder motiviert oder er sei es eben nicht, und eine professionelle Arbeit lohne sich eben nur mit jenen, die motiviert seien. Heute wird die Förderung der Veränderungsmotivation eines Klienten als Aufgabe professioneller Arbeit verstanden. Diese Motivation steht oftmals nicht am Beginn eines Klienten-Helfer-Kontaktes, sondern ist schon das Ergebnis, also ein Erfolg eines professionellen Bemühens. Das heißt: Der professionelle Helfer darf Motivation nicht erwarten, sondern braucht ein Konzept, wie er sie fördern kann.

Es gibt einige Grundbedingungen zur Förderung von Motivation. Die wichtigste ist wohl die, dass Motivation auf Freiwilligkeit und auf selbstgesetzten Zielen beruhen muss. Menschen sind nur dann bereit, sich für etwas einzusetzen und zu engagieren, wenn sie es wirklich möchten. Zur Förderung der Eigenaktivität eines Klienten hat es daher oberste Priorität, herauszufinden, was er eigentlich möchte, woran sein Herz hängt, was ihm wirklich wichtig ist im Leben. > Ressourcenorientierung, Seiten 26 ff.

Viele Ziele von Klienten entsprechen nicht den von professioneller Seite verfolgten Zielen und sind nicht normkonform. Diese Ziele trotzdem zu akzeptieren und darüber Zugang zur Motivation des Klienten zu gewinnen, ist eine große Herausforderung für psychiatrisch Tätige.

BEISPIEL 1

Als »Ikarus vom Lautertal« hat in Süddeutschland der in jungen Jahren als schizophren diagnostizierte Gustav Mesmer einen hohen Bekanntheitsgrad erreicht. Der 1903 Geborene verbrachte insgesamt 35 Jahre in verschiedenen psychiatrischen Kliniken. Sein dringlichstes Interesse bestand darin, fliegende Fahrräder zu konstruieren, wovon ihn die Fachleute abzuhalten versuchten. In den Kliniken wurde dieses »Hobby« als krankhaft abgetan und unterbunden, sodass Gustav Mesmer nur Zeichnungen von Flugobjekten anfertigen konnte. 1964 wurde er schließlich aus der Psychiatrie entlassen und kam in ein Altersheim. Dort richtete man ihm eine kleine Werkstatt ein, damit er seine Flugobjekte bauen konnte. Er wurde in der Region zunehmend bekannter, es fanden Ausstellungen statt, sein Lebensweg wurde in einem Film und einem Hörspiel verarbeitet. Als Höhepunkt seiner Karriere wurde einer seiner kreativen Apparate ein viel bestaunter Mittelpunkt im deutschen Pavillon der Weltausstellung in Sevilla 1992 (weitere Informationen unter www.gustavmesmer.de).

BEISPIEL 2

Nach seiner ersten Psychose verlor Herr Kar seine Anstellung als Journalist bei der Lokalzeitung, einer Tätigkeit, der er mit großer Freude nachgegangen war. Daraufhin geriet er in eine schwere Depression. In seinem Umfeld und von professioneller Seite versuchte man ihn zu einer Umschulung zum Bürokaufmann zu bewegen. Herr Kar hatte zwar kein Interesse an dieser Tätigkeit, fügte sich aber dem Rehabilitationsvorschlag. Während der Umschulung kam es zu mehreren psychotischen Krisen, weshalb sie schließlich scheiterte und in einer Berentung mündete. Herr Kar engagierte sich anschließend ehrenamtlich bei einem Lokalradio und gehörte dort zu den tragenden Säulen. Sein Leben verlief mit dieser Tätigkeit weitestgehend krisenfrei.

Empowermentförderung bedeutet, die Interessen des Klienten so weit wie möglich aufzugreifen. Zu den selbst gesetzten Zielen gehört auch ein möglichst hohes Ausmaß an persönlicher Kontrolle während der Handlung und Zielerreichung. Natürlich gibt es Grenzen des »Mitgehens« durch professionell Tätige, auf die ich im Kapitel zur Selbstbestimmung ausführlich eingehe.

Thomas Bock (2017) betont, dass es in einer nutzerorientierten Behandlung in erster Linie die Fachpersonen sind, die sich »compliant« zu den Bedürfnissen des Betroffenen verhalten müssen, und nicht umgekehrt.

Hilfreiche Fragen für Fallarbeit und Supervision:

Innere Barrieren

Es gibt innere und äußere Barrieren, die die Selbstbefähigung Betroffener behindern. So entscheidet das Krankheits- und Behandlungskonzept des betroffenen Menschen darüber, wie stark sein Eigenengagement sein wird. Es gibt viele Krankheitskonzepte, die Eigenaktivität und Selbstbefähigung nicht »erlauben«. Auch ein geringes Gefühl von Selbstwirksamkeit kann einer zunehmenden Eigenaktivität im Wege stehen.

1. Welches Krankheitsverständnis hat die Person?
2. »Erlaubt« dieses Krankheitsverständnis eine Selbstbefähigung?
3. Welches Behandlungsverständnis hat die Person?
4. Welche Beziehung zwischen professionell Tätigem und Betroffenem legt dieses Behandlungsverständnis nahe?
5. Wie stark ist das Selbstwirksamkeitsgefühl der Person? Wodurch wird das Selbstwirksamkeitsgefühl gegenwärtig verringert? Wie kann es gefördert werden?
6. Gibt es Traumatisierungen und erlernte Hilflosigkeit, durch die die Möglichkeiten zur Eigenaktivität eingeschränkt sind?

Gründe für Passivität

Menschen sind nicht grundlos passiv. Es gibt verschiedene Ursachen, warum sie ihre Eigenaktivität nicht entfalten können oder dies nicht wollen.

Erst wenn der professionell Tätige die Gründe für die Passivität seines Klienten kennt, kann er Strategien entwickeln, um diesem dabei zu helfen, selbst wieder aktiv zu werden. Der erste Schritt besteht daher in dem Verständnis, warum jemand passiv bleibt. Dabei wird davon ausgegangen, dass die Passivität des Klienten unter den gegebenen Bedingungen eine nachvollziehbare Strategie ist, andernfalls würde er sie nicht beibehalten. Die Hintergründe der Passivität eines Menschen zu verstehen ist wichtig, um ihm gegenüber nicht eine negative Grundeinstellung einzunehmen. Wenn wir uns das Verhalten unseres Gegenübers nicht erklären können, werden wir schnell dazu verleitet, ihm eine Absicht zu unterstellen (»Der will einfach nicht«) oder den Klienten als »faul« zu bewerten.

Viele Klienten können danach befragt werden, was es ihnen schwer macht, aktiv zu werden, und wodurch ihnen eine Eigenaktivität erleichtert würde. Ein solches Gespräch ist aber nicht mit allen Klienten möglich, manchmal müssen die Hintergründe für die Passivität daher erschlossen werden. Es gibt viele Gründe für Passivität, folgende kommen häufig vor:

Fehlende Notwendigkeit: »Wenn ich's nicht mache, machen die anderen es eh für mich.« Kranken Menschen wird in unserer Gesellschaft viel abgenommen, das ist vor allem in akuten Krankheitszeiten sinnvoll. Häufig wird dieses Verhalten der sozialen Umgebung aber auf stabilere Zeiten ausgedehnt. Dadurch können dann die Fähigkeiten des Betroffenen und seine Eigenaktivität reduziert werden. Das kann durch die psychiatrische Institution geschehen, es können aber auch die Angehörigen sein, die den Betroffenen entlasten möchten. Wichtig sind hier die Fragen: Wo werden dem Klienten Dinge abgenommen, die er selbst erledigen könnte? Und: Welche Tätigkeiten werden dem Klienten nicht mehr zugetraut, und stimmt es tatsächlich, dass er sie nicht mehr selbst erledigen kann?

Fehlende Perspektive: »Warum soll ich mich eigentlich so anstrengen?« Viele psychiatrische Klienten haben kaum eine Perspektive, die Ziele in ihrem Leben zu erreichen, die ihnen wichtig sind. Dazu gehört etwa eine Tätigkeit, mit der sie ihren Unterhalt selbst finanzieren können, eine längerfristige Partnerschaft oder die Gründung einer Familie. Wenn diese für fast alle Menschen bedeutungsvollen Ziele nicht erreicht werden können, kommt es zu einer grundlegenden Reduktion von Eigenaktivität.

Paternalistisches Beziehungsmodell: »Es ist doch klar, dass die anderen für mich entscheiden und handeln.« Viele, vor allem langjährige Klienten sind in einem solchen Beziehungsmodell gefangen. Sie haben gelernt, dass ihre eigene Meinung sowie ihre eigenen Ziele und Wünsche nichts zählen. Ihr Selbstwirksamkeitsgefühl und ihr Selbstvertrauen sind sehr gering. Sie selbst fühlen sich schwach und machtlos, die anderen werden als stark und entscheidungsbefugt erlebt. Ein Betroffener sagte einmal: »Ich weiß auch nicht, was die Ärzte mit mir vorhaben. Ich muss einfach abwarten, wie es weitergeht.« Diese Haltung kann meist nur durch viele kleine Lernerfahrungen und die Ermutigung zu (zunächst kleinen) Entscheidungen und Eigenaktivitäten abgebaut werden.

Angst vor Veränderung: »Das Gegenwärtige kenne ich, alles andere ist neu für mich.« Wir Menschen sind »Gewohnheitstiere« und behalten gerne Verhaltensweisen bei, nur weil sie uns vertraut sind. Dies gilt selbst dann, wenn wir uns durch diese Verhaltensweisen selbst schädigen. Angst vor Veränderung kann so weit gehen, dass der Tagesablauf und jede Handlung minutiös geplant ist und dass kleinste Abweichungen bereits Angst verursachen. Auch hier ist die Ermutigung zu kleinen Schritten hilfreich. Beispielsweise kann ein Klient dazu ermutigt werden, seinen Spazierweg etwas zu verändern oder eine kleine Änderung in seinem Tagesablauf vorzunehmen. Dabei geht es um das generelle Trainieren von Flexibilität.

Weitere Gründe für Passivität und Fixierung auf Fremdhilfe sind etwa die Verhaltensträgheit (»Ich kann mich einfach nicht aufraffen«), die allen Menschen bekannt sein dürfte. Auch ein geringes Selbstwirksamkeitsgefühl und ein damit verbundener Zustand erlernter Hilflosigkeit können Gründe sein. Passivität kann ferner durch ein Fähigkeitsdefizit (»Ich weiß einfach nicht, wie ich's machen soll«) verursacht sein. Das gilt wieder vor allem für langzeitkranke Klienten, die selbst Routineaufgaben wie das Bedienen einer Kaffeemaschine nicht mehr beherrschen. Mögliche weitere Gründe sind ein Informationsdefizit (»Ich durchschaue die Situation nicht«) oder ein Problem auf der Beziehungsebene zwischen Klient und Betreuer (»Was der will, mach ich noch lange nicht«). In den meisten Fällen gibt es »Ursachenbündel«, die die Eigenaktivität eines Menschen behindern. Beispielsweise fehlt die Notwendigkeit für Veränderung und der Klient hat Angst vor Neuem. Bei vielen Klienten ist das Selbstwirksamkeitsgefühl gering ausgeprägt und wirkt sich auf ihre Aktivität aus.

FALLARBEIT

Beantworten Sie die folgenden Fragen in Bezug auf einen Ihrer Klienten, der eher passiv erscheint, Ihnen aber durchaus sympathisch ist: Welche Gründe sehe ich für die Passivität meines Klienten? Wann und wie war mein Klient das letzte Mal aktiv? Warum konnte er in der Situation aktiv werden? Wie kann ich ihm helfen, solche Aktivitäten verstärkt auszuüben?

Jeder Mensch, der selbst nicht aktiv wird, hat gute Gründe für dieses Verhalten. Ohne ein Verständnis für die Ursachen der Passivität lässt sich ein hilfreiches professionelles Vorgehen schwer planen.

Hilfreiche Fragen für Fallarbeit und Supervision: Selbsthilfe statt Fremdhilfe!

Bei jedem konkreten Problem eines Betroffenen stellt sich die Frage, ob er dieses Problem allein lösen kann oder ob Fremdhilfe erforderlich ist. Wenn Fremdhilfe nötig erscheint, gilt es zu entscheiden, ob dem Betroffenen bestimmte Probleme abgenommen werden sollten, weil er sie nicht allein lösen kann (»einspringende Fürsorge«), oder ob er Beratung und Training zur Lösung der Probleme benötigt (»vorauseilende Fürsorge«). Es gilt der Grundsatz: »So viel Selbsthilfe wie möglich, so viel Fremdhilfe wie nötig.«

1. Hatte der Betroffene dieses Problem schon einmal, und wie hat er es damals gelöst?
2. Was tut der Betroffene, damit dieses Problem nicht noch schlimmer wird?
3. Warum löst er dieses Problem nicht allein?
4. Welche Fähigkeiten sind erforderlich, um dieses Problem zu lösen bzw. besser zu bewältigen? Sind diese Fähigkeiten vorhanden? Wenn »Ja«: Werden sie eingesetzt? Wenn nicht eingesetzt: Wodurch werden sie behindert? Wie kann der Betroffene unterstützt werden? Wenn »Nein«: Können diese Fähigkeiten gefördert werden? Was ist dazu erforderlich?
5. Welche äußeren Ressourcen hat der Betroffene, die mobilisiert werden könnten? Ist dazu professionelle Hilfe erforderlich?
6. Erscheint Fremdhilfe erforderlich? Aus der Sicht des Betroffenen? Aus der Sicht des Helfers?
7. Was wäre entmündigende Fremdhilfe bei diesem Problem?

8. Was wäre befähigende Fremdhilfe bei diesem Problem?
9. Welche Selbstbeteiligung des Betroffenen ist möglich?
10. Ist der Betroffene in der Lage, die nötige Fremdhilfe einzufordern?
11. Was wäre eine »maximale Intervention« (viel Fremd-, wenig Selbsthilfe) bei diesem Problem?
12. Was wäre eine Standardintervention bei diesem Problem?
13. Was wäre eine »minimale Intervention« (viel Selbst-, möglichst wenig Fremdhilfe) bei diesem Problem?
14. Durch welche Interventionen hat das psychiatrische System bisher zum Verlust von Selbsthilfefähigkeiten beigetragen?
15. Durch welche Interventionen hat das psychiatrische System bisher zur Chronifizierung beigetragen?

Individuelle Selbsthilfe und Selbsthilfe in Gruppen

Niemand ist psychischen Krisen hilflos ausgeliefert. Alle betroffenen Menschen haben zahlreiche Selbsthilfemöglichkeiten, um sich vor weiteren Krisen, belastenden Symptomen oder negativen Folgen einer Erkrankung zu schützen. Die klassische Psychiatrie hat die Selbsthilfemöglichkeiten psychisch kranker Menschen lange Zeit vernachlässigt, und auch heute erhalten Klienten oft sehr wenig Unterstützung, um die eigenen Selbsthilfemöglichkeiten nutzen zu können. Heute wissen wir durch die Studien zur Bewältigungsforschung: Jeder Mensch, der von psychischen Schwierigkeiten betroffen ist, versucht etwas dagegen zu tun. Ausnahmen davon gibt es nur, wenn die psychischen Veränderungen als positiv empfunden werden oder große Vorteile für den Betroffenen haben (»sekundärer Krankheitsgewinn«).

Es gibt zahlreiche Formen der persönlichen Selbsthilfe, etwa Ablenkung, körperliche Aktivität, Schlaf oder verschiedenste Formen von Entspannungsübungen. Daneben gibt es Selbsthilfestrategien, die auf einzelne Symptome abzielen: Beispielsweise hört ein Klient sehr laut Musik, um seine psychotischen Stimmen zu übertönen, oder eine Klientin malt sich mit einem roten Stift Striche auf den Unterarm, um den Eindruck von fließendem Blut nachzuempfinden und sich so vor einer Selbstverletzung zu schützen. Einige Bewältigungsstrategien führen kurzfristig zu einer Erleichterung, haben aber längerfristig negative Folgen, zum Beispiel sozialer Rückzug oder Alkohol- und Drogenkonsum als Schutz vor psychotischem Erleben.

Den individuellen Selbsthilfe-möglichkeiten auf der Spur

Selbsthilfe bedeutet nicht, dass professionell Tätige hier keine Aufgabe hätten. Ganz im Gegenteil können sie durch ihr Verhalten ganz entschieden Selbsthilfe erleichtern – oder behindern. Viele Klientinnen und Klienten brauchen zunächst eine Ermutigung, um sich überhaupt mit ihren individuellen Selbsthilfemöglichkeiten zu beschäftigen. Vor allem langzeitkranken Menschen wird von der Fachseite oft vermittelt, dass sie keinen eigenen Einfluss auf ihre Erkrankung hätten. Eine Klientin erzählt: »Mein Arzt sagte mir: ›Da können Sie selbst gar nichts machen, außer auf die Wirkung der Medikamente zu vertrauen.‹« Oder aber sie haben Strategien erprobt, die sich als nicht wirkungsvoll erwiesen, wodurch sich ihr Gefühl von Ohnmacht und Ausgeliefertsein noch verstärkt hat.

ANLEITUNGEN Psychiatrisch Tätige können Betroffenen helfen, die schon praktizierten Formen der Selbsthilfe mehr zu würdigen und damit zu festigen. Sie können zum Erproben von Selbsthilfemöglichkeiten ermutigen und Anregungen für spezifische Selbsthilfeformen geben. Ferner können sie den Personen helfen, »dranzubleiben«, den Mut nicht zu verlieren, auch wenn sich neu erprobte Wege nicht sofort als wirkungsvoll erweisen.

Verschiedene Fragen bieten den Betroffenen Anregungen, um sich über die eigenen Selbsthilfemöglichkeiten Gedanken zu machen: »Möchten Sie auf Ihre psychischen Krisen überhaupt verzichten? Was erleben Sie eventuell positiv und hat daher auch eine Anziehung für Sie? Was möchten Sie nicht mehr erleben?« Es gibt beispielsweise viele manische Klienten, die auf bestimmte Erlebnisweisen nicht verzichten möchten. Wird das nicht vorab geklärt, gelingt die weitere Erarbeitung von Selbsthilfe nicht. Um schon praktizierte Strategien zu sammeln, sind möglichst konkrete Fragen hilfreich. Also nicht: »Was tun Sie, um sich vor Krisen zu schützen?«, sondern: »Was haben Sie das letzte Mal getan, als die Stimme wieder so laut wurde?«

In einem ersten Schritt sollten bereits genutzte Selbsthilfemöglichkeiten gesammelt werden, auch jene, die schon vor längerer Zeit einmal erfolgreich praktiziert wurden, eventuell aber in Vergessenheit gerieten. Wichtig ist es, auch jene Verhaltensweisen zusammenzutragen, die sich nur als kurzfristig hilfreich, längerfristig aber als schädlich erwiesen haben. In einem zweiten Schritt können Anregungen für weitere Selbsthilfeformen gegeben werden. Dies kann etwa durch Vorschläge geschehen oder durch Berichte von anderen Betroffenen, entweder in schriftlicher Form oder im Rahmen von Gruppengesprächen. Die Frage »Was können Sie selbst tun, um sich vor diesem und jenem Symptom zu schützen?« ist sehr sinnvoll, um die bereits vorhandenen Selbsthilfeideen aufzuspüren. Sie darf aber nicht zugleich Anfang und Ende der Suche nach Möglichkeiten bleiben, sondern muss durch Ideen der Fachpersonen oder anderer Betroffener ergänzt werden. Ergebnis einer solchen »Schatzsuche« kann eine schriftliche Aufstellung von sinnvollen Bewältigungsstrategien sein.

Solche Strategien können nur durch Erfahrung erarbeitet werden, das heißt, verschiedene Verhaltensweisen müssen erprobt werden, eventuell auch öfter, um sie in ihrer Wirksamkeit besser einschätzen zu können.

Viele Selbsthilfemöglichkeiten sind störungsspezifisch

Die Unterstützung beim Erkennen und Nutzen von Selbsthilfemöglichkeiten setzt bei der Fachperson viel Know-how voraus. Zunächst muss sie wissen, welche Strategien überhaupt existieren. Ferner ist Wissen darüber erforderlich, wie Klienten am besten beim Erkennen und Nutzen ihrer Möglichkeiten unterstützt werden. Diese Aufgabe ist alles andere als einfach, denn viele Selbsthilfeelemente sind störungsspezifisch, sodass ein umfangreiches Wissen über die Bewältigungsmöglichkeiten der jeweiligen Störung erforderlich ist. Anhand der Störungsbilder Psychosen, Borderline, Stimmenhören und Panikattacken lässt sich gut zeigen, wie unterschiedlich die möglichen Selbsthilfestrategien sein können.

Viele Selbsthilfemöglichkeiten sind störungsspezifisch und setzen daher auf professioneller Seite Wissen über die jeweiligen Handlungsmöglichkeiten voraus.

PSYCHOSEN Psychoseerfahrene Menschen haben sehr viele Selbsthilfemöglichkeiten, um sich vor weiteren Krisen zu schützen oder um Symptome als weniger belastend zu erleben (KNUF & GARTELMANN 2014). Oftmals verlaufen psychotische Zuspitzungen nach speziellen Mustern. Beispielsweise geriet ein junger Goldschmied mehrere Jahre nacheinander kurz vor den Weihnachtsfeiertagen in eine psychotische Krise. Der Grund dafür war der für ihn unerträgliche berufliche Stress in der Vorweihnachtszeit. Wichtig ist es, solche Muster zu erkennen und neue Verhaltensweisen zu planen, um sich davor zu schützen. Die wohl wirkungsvollste Form der Selbsthilfe ist das Erkennen von Frühwarnzeichen im Vorfeld psychotischer Episoden. Mehr als zwei Drittel aller psychoseerfahrenen Menschen und noch mehr Angehörige nehmen Veränderungen vor psychotischen Krisen wahr. Gelingt es, diese Frühwarnzeichen zu erkennen und darauf angemessen zu reagieren, so lassen sich psychotische Zuspitzungen abschwächen und Klinikaufenthalte vermeiden.

Fachpersonen müssen zunächst wissen, welche Frühwarnzeichen es bei Psychosen geben kann. Mittlerweile gibt es zahlreiche entsprechende Listen. Die umfangreichste wurde von der Gruppe »Selbstchecker« im Bundesverband der Psychiatrie-Erfahrenen entwickelt. Seit einiger Zeit liegen auch spezifische Auflistungen etwa für Menschen mit manischen Krankheitsphasen vor (JELLEY & ELMER 2005). Solche Listen sind sehr hilfreich, weil das eigenständige Erinnern von Frühwarnzeichen ausgesprochen schwierig ist. Wenn ich eine Klientin frage: »Welche Veränderungen nehmen Sie vor einer Krise wahr?«, dann erhalte ich möglicherweise die Antwort: »Das kommt bei mir wie aus heiterem Himmel.« Gebe ich ihr hingegen eine Liste und bitte sie, jene Veränderungen anzukreuzen, die sie bei sich selbst bereits beobachtet hat, so erkennt sie wahrscheinlich mehrere Anzeichen wieder. Auch die Arbeit in Gruppen hat sich für das Thema Frühwarnzeichen bewährt. Frühwarnzeichen können in Selbsthilfegruppen ebenso erarbeitet werden wie in psychoedukativen Gruppen.

BORDERLINE Auch Borderlineklienten haben verschiedenste Selbsthilfemöglichkeiten (KNUF & TILLY 2016). Ähnlich wie psychoseerfahrene Menschen können sie durch eigene Strategien krisenhafte Zuspitzungen vermeiden. Darüber hinaus haben sie die Möglichkeit, in akuten Krisensituationen Symptomverhalten zu vermeiden.

Beispielhaft sei dazu der sogenannte Notfallkoffer erwähnt, der auch im Rahmen der Dialektisch-Behavioralen Therapie (DBT) Anwendung findet. Der Notfallkoffer enthält real vorhandene Dinge, die die Betroffenen Schritt für Schritt zusammentragen und an einem für sie gut erreichbaren Ort verwahren. Der Notfallkoffer kann unter anderem Dinge zur Ablenkung, zum Wohlfühlen, zur Beruhigung oder zur Entspannung beinhalten. Ferner kann er auch Hilfen für akute Hochstresssituationen enthalten, die sonst häufig zu Symptomverhalten wie Selbstverletzungen führen. Vielen Betroffenen helfen in diesen Situationen intensive Sinnesreize wie etwa:

- Geruch: Ammoniak, Duftöle;
- Geschmack: Chilischote, scharfe Gummibärchen;

- Tastsinn: Igelball;
- Temperatur: Coldpacks oder Eiswürfel.

Bei der Erarbeitung eines Notfallkoffers werden möglichst jene Selbsthilfestrategien zusammengetragen, die die Betroffenen bereits eigenständig entwickelt haben. Anschließend werden von professioneller Seite Anregungen für weitere Hilfsmittel gegeben.

BEISPIEL

Frau Peh betrinkt sich vornehmlich in Situationen, in denen sie sich von allen ihr wichtigen Menschen verlassen fühlt. In diesem intensiven Verlassenheitsgefühl kann sie sich nicht mehr vorstellen, dass ihre Freunde überhaupt noch existieren. In den Notfallkoffer hat sie daher Fotos ihrer Freunde getan, ferner Briefe und Telefonnummern. Ihr ist es bereits mehrere Male gelungen, den Notfallkoffer zu nutzen, anstatt sich wieder übermäßig zu betrinken.

Daneben gibt es zahlreiche Selbsthilfeformen, um mit spezifischen Symptomen oder Erlebnisweisen möglichst konstruktiv umgehen zu lernen. Beispielsweise haben viele Betroffene gelernt, Wutausbrüche zu vermeiden, indem sie frühzeitig ihre Wut ausdrücken, ohne sich oder andere dabei zu schädigen. Hilfreich kann etwa ein Boxsack im Keller sein oder Schlagzeugspielen. Auch zur Bewältigung von Dissoziationen haben zahlreiche Betroffene eigene Bewältigungsformen entwickelt, wie etwa das Abklopfen des Körpers, das Berühren von Gegenständen in der Umgebung oder das Benennen von Ort und Zeit.

STIMMENHÖREN Durch die Stimmenhörerbewegung wissen wir heute, dass etwa 3 Prozent der Bevölkerung mit Stimmenhören vertraut sind, nur ein Teil von ihnen hat deshalb aber eine psychische Erkrankung. Vor allem Menschen, die gut mit ihren Stimmen zurechtkommen, haben verschiedene Strategien entwickelt, um den negativen Einfluss zu reduzieren. Stimmenhörende Menschen können es beispielsweise lernen, ihre Stimmen zu begrenzen. Sie werden dabei nicht weggedrängt, sondern kontrolliert. Die Kontrolle erfolgt etwa, indem den Stimmen Redezeiten eingeräumt werden und der Betroffene ihnen außerhalb der vereinbarten Redezeiten nicht mehr zuzuhören versucht.

Eine andere Strategie besteht darin, Stimmen zu externalisieren. Die Stimme erhält einen Namen, um mit ihr in einen Dialog treten zu können. Dadurch wird ein Abstand zur Stimme erleichtert. Ferner machen viele Betroffene die Erfahrung, dass es für sie hilfreich ist, den Bedeutungszusammenhang der Stimmen zu verstehen. Die Inhalte werden nicht als »verrückt« aufgefasst, sondern als Ausdruck innerer Konflikte oder aktueller Themen.

ANGST UND PANIK Selbsthilfe ist eine der wichtigsten Formen der Bewältigung von Panikstörungen überhaupt (FORSYTH & EIFERT 2018). Panik tritt oft in Situationen auf, in denen sich den Betroffenen keine Unterstützung bietet, sie sind also mit der Panik »allein«. Sie können aber lernen, aufkommende Panikanfälle abzufangen. Viele haben ein intuitives Wissen, dass eine Konfrontation mit der angstauslösenden Situation wichtig ist, um den eigenen Aktionsradius nicht immer weiter einzuschränken. Sie praktizieren Entspannungstechniken, um ihr Stressniveau zu senken und sich so vor aufkommenden Angstanfällen zu schützen. In der Paniksituation versuchen sich viele durch Selbstberuhigung zu helfen. Wie bei anderen Störungsbildern auch, so gibt es bei Angststörungen Selbsthilfestrategien, die zwar kurzfristig hilfreich, längerfristig aber schädigend sind. Eine Betroffene hatte so stark Angst vor Menschenansammlungen, dass sie nicht mehr einkaufen gehen konnte. Sie bat ihre Freundin, sie zu begleiten. So konnte sie zwar wieder zum Einkaufen gehen, längerfristig führte es aber dazu, dass sie ohne Begleitperson gar nicht mehr aus dem Haus ging.

Die hier genannten Selbsthilfemöglichkeiten der jeweiligen Klientengruppe sind nur beispielhaft und können umfangreich ergänzt werden. Der Überblick dürfte aber gezeigt haben, dass die Formen der Selbsthilfe sehr von der zugrunde liegenden psychischen Schwierigkeit abhängen.

SELBSTREFLEXION

Zu welchen Störungsbildern sind Sie ausreichend über Selbsthilfemöglichkeiten informiert? Zu welchen Störungsbildern würden Sie sich gerne weiter informieren? Sehr hilfreich dafür ist das Buch *Irre verständlich* (2017) von Matthias Hammer und Irmgard Plössl.

In den letzten Jahren wurden zahlreiche Materialien entwickelt, die Betroffenen helfen, ihre eigenen Selbsthilfemöglichkeiten zu erkennen und zu nutzen. So gibt es den Selbsthilfebogen für Stimmenhörer, den Vorsorgebogen für Psychoseerfahrene und den Selbsthilfebogen für Borderlinebetroffene. Auch von Betroffenenseite wurden verschiedene Materialien erstellt. Eine Internetliste findet sich am Schluss des Buches.

Selbsthilfe in Gruppen

Selbsthilfe in Gruppen stellt eine wichtige Unterstützungsform dar. Allein in Deutschland gibt es geschätzte 70.000 bis 100.000 Selbsthilfegruppen, davon etwa 5.000 Gruppen zu psychischen Erkrankungen (Matzat 2004). Studien zeigen, dass Selbsthilfegruppen besonders wirkungsvoll sind, weil sie Betroffenen vermitteln, mit ihrem Problem nicht allein zu sein. Betroffene unterstützen sich dadurch gegenseitig, außerdem dienen die Gruppen als Informationsbörse zur Erkrankung und zu adäquaten Hilfemöglichkeiten. Sehr verbreitet sind Selbsthilfegruppen zu häufigen Störungsbildern wie etwa Sucht, Angststörungen oder Depressionen. Viele dieser Gruppen wurden schon in den 1980er-Jahren gegründet. Auch die zahlreichen Gruppen für Angehörige haben in dieser Zeit ihren Ursprung. Selbsthilfegruppen für Menschen mit Psychosen oder Persönlichkeitsstörungen sind seltener und entstanden erst in den Neunzigerjahren. In der letzten Zeit haben sich auch Selbsthilfegruppen zu Krankheitsbildern gegründet, die seltener sind oder weiterhin stark stigmatisiert werden, beispielsweise zu Trichotillomanie oder zur Borderlinestörung.

In vielen Regionen gibt es inzwischen Selbsthilfezentren, die Betroffenen oder Betroffenengruppen beim Aufbau und Erhalt einer Gruppe behilflich sind. Die Vernetzung in Deutschland hat NAKOS, die Nationale Kontakt- und Informationsstelle zur Anregung und Unterstützung von Selbsthilfegruppen, übernommen (Internet: www.nakos.de). Auch wenn professionell Tätige keine Selbsthilfegruppen gründen können, so haben sie doch die Möglichkeit, als »Geburtshelfer« an der Entstehung mitzuwirken. Dies geschieht beispielsweise, wenn sie die Idee der Gründung verbreiten oder Publikationen mit entsprechenden Hinweisen weitergeben. In Regionen, in denen noch keine Selbsthilfegruppe existiert, können Selbsthilfegruppen aus anderen Regionen zu Veranstaltungen eingeladen werden, um von ihren Erfahrungen zu berichten und möglicherweise den Funken für die Gründung einer lokalen Gruppe zu schlagen. Einige Gruppen wünschen explizit keinen Kontakt zur professionellen Seite, beispielsweise viele Gruppen psychoseerfahrener Menschen. Andere, etwa Gruppen depressiver Menschen oder von Borderlinebetroffenen, erleben die Unterstützung durch Fachpersonen als hilfreich und bitten Fachpersonen sogar ausdrücklich, sie als Coach zu unterstützen.

BEISPIEL

Zwei Borderlinebetroffene möchten eine Selbsthilfegruppe gründen und bitten eine Sozialpädagogin des lokalen Sozialpsychiatrischen Dienstes, sie dabei zu unterstützen. Anfänglich ist die Fachperson bei allen Treffen dabei und hilft, die Gruppenregeln und das Schema für den Ablauf der Abende zu erarbeiten. Nach sechs Treffen gibt sie erstmals die Moderation an eine Teilnehmerin ab. Nach drei Monaten entschließt sich die Gruppe, die unterstützende Fachperson zu bitten, nur noch einmal monatlich dabei zu sein. Dies funktioniert jetzt schon seit über einem Jahr ohne größere Probleme.

Bestehende Gruppen können von professioneller Seite auf vielfache Weise gefördert werden. So brauchen die Gruppen organisatorische Unterstützung wie Hilfe bei der Öffentlichkeitsarbeit, bei der (möglichst kostenlosen) Raumnutzung, bei Kopierbedarf etc. Es ist zudem wichtig, dass Fachpersonen ihre Klienten über bestehende Gruppen informieren. Selbsthilfegruppen sollten die Möglichkeit erhalten, ihre Informationen am schwarzen Brett einer Einrichtung aufzuhängen, Informationsmaterialien auszulegen oder in der Hauszeitschrift auf sich aufmerksam zu machen. Flyer von Selbsthilfegruppen gehören in jedes gute Beratungszimmer.

BERATUNG VON GRUPPEN Ferner brauchen die Gruppen manchmal beraterische Unterstützung. Von Fachseite kann Supervision angeboten werden oder Mittel werden bereitgestellt, um diese finanzieren zu können. Fachliche Beratung setzt eine hohe Vertrautheit mit der Selbsthilfebewegung und ihrer besonderen Situation voraus. All diese Hilfen sollten den Gruppen natürlich nicht aufgedrängt werden, sie dürfen keinesfalls verwendet werden, um gezielt Einfluss auf die Gruppen auszuüben. Selbsthilfegruppen ist auch damit gedient, wenn

Fachpersonen helfen, Vorurteile über Selbsthilfe aus der Welt zu schaffen. Sie können skeptischen Kollegen von ihren positiven Erfahrungen mit der Selbsthilfe berichten. Leider gibt es immer noch viele psychiatrisch Tätige, die verschiedene Vorurteile pflegen und Betroffene nicht über die Möglichkeiten der Selbsthilfe aufklären. »Die wettern da ja nur gegen Medikamente«, heißt es dann beispielsweise.

Natürlich haben auch Selbsthilfegruppen ihre Grenzen und »Risiken und Nebenwirkungen«. So erleben nicht alle betroffenen Menschen den gegenseitigen Austausch als Bereicherung. Manche haben das Gefühl, nur noch mehr auf ihre Problematik gestoßen zu werden. »Mir ging es nach der Gruppe immer schlechter als vorher. Nach einem Jahr bin ich dann nicht mehr hingegangen«, erzählte eine ehemalige Teilnehmerin. Selbsthilfegruppen funktionieren dann gut, wenn es in vielfältiger Weise eine gute Balance gibt: zwischen Problemgesprächen einerseits und gegenseitiger Ermutigung andererseits, zwischen Teilnehmenden, die momentan stark mit ihren Schwierigkeiten beschäftigt sind, und anderen, die gegenwärtig eher psychisch stabil sind.

Betroffene sollten nicht zur Teilnahme an Selbsthilfegruppen gedrängt werden. Die Teilnahme setzt die innere Bereitschaft voraus und auch die Fähigkeit zu einem hinreichenden Maß an Selbstverantwortung. Werden Betroffene gedrängt, so kann dies Reaktanz oder Anpassung fördern. Teilnehmende, die von Fachpersonen »geschickt« werden, können eine Selbsthilfegruppe an ihre Grenzen bringen. Jede Gruppe ist darauf angewiesen, dass genügend Mitglieder ein hinreichendes Maß an Eigenmotivation und Selbstverantwortung haben, ansonsten werden die übrigen schnell überfordert.

Hilfreiche Fragen für Fallarbeit und Supervision:

Selbsthilfestrategien

1. Welche Selbsthilfestrategien hat der Klient früher schon mal ausprobiert, die für ihn hilfreich waren (»Was hat Ihnen früher gutgetan?«)?
2. Was tut er gegenwärtig und ist hilfreich (»Was tut Ihnen heute gut?«)?
3. Welche zusätzlichen Strategien fallen dem Klienten ein (»Was könnten Sie sonst noch ausprobieren?«)?
4. Welche weiteren Anregungen gibt es von professioneller Seite (»Ich habe auch noch Anregungen, die ich Ihnen gerne geben würde«)?

Informationen vermitteln

Nur wer seine Lebenssituation durchschaut und hinreichend informiert ist, kann Empowerment entfalten. Nur wer um die Möglichkeit der Genesung weiß, wird sich dafür einsetzen. Informationsvermittlung und Aufklärung sind daher wichtige Elemente einer empowerment- und recoveryfördernden Arbeitsweise. Informationsvermittlung ist im psychiatrischen Alltag an vielen Stellen erforderlich: Aufklärung über die Diagnose, Informationen über die aktuelle Behandlung oder mögliche Alternativen, Aufklärung über die Rechte als Klient oder Anspruchsberechtigter sowie Informationen über alltägliche Dinge, etwa in einem Wohnheim.

Im Alltag ist oftmals zu beobachten, dass Klienten wichtige Informationen vorenthalten werden. Beispielsweise wird ein Patient auf einer Akutstation nur unzureichend über Nebenwirkungen von Medikamenten oder über Behandlungsalternativen aufgeklärt. Bei dem Bewohner eines Wohnheims wird die Medikation geändert, ohne dass dies mit ihm vereinbart oder er zumindest darüber informiert wurde. Ein Patient einer Rehabilitationsstation soll sein Zimmer mit einem anderen Patienten tauschen und erfährt dies erst zehn Minuten vor dem »Umzug«. Auch lässt sich beobachten, dass Patienten so informiert und »aufgeklärt« werden, dass sie wenig oder nichts verstehen: Informationen sind nicht angekommen und der Betroffene kann sie nicht nutzen. Nutzerbefragungen ergeben immer wieder, dass Klienten vor allem eine fehlende Aufklärung über unerwünschte Wirkungen von Medikamenten und über Behandlungsalternativen beklagen.

Erhält jemand *zu wenige Informationen*, dann kann das zu einer unnötigen Verunsicherung führen. Zum Beispiel wird ein Klient nicht hinreichend über unerwünschte Medikamentenwirkungen informiert und gerät in ein Panikgefühl, als es bei ihm plötzlich zu unkontrollierbaren Muskelkrämpfen kommt. Doch auch *Informationen im Übermaß* können verunsichern. Wichtiges kann dann nicht mehr von Unwichtigem unterschieden werden, wodurch es erschwert wird, Zusammenhänge zu verstehen und angemessen zu handeln. Dasselbe gilt für *unverständlich vermittelte Informationen*, die ein zunehmendes Gefühl von Hilflosigkeit bewirken können, etwa wenn dem Betroffenen verschiedene Begriffe für seine Diagnose mitgeteilt werden. *Falsche Informationen* schließlich können das Vertrauensverhältnis zum Therapeuten erschüttern und Informationen zum *falschen Zeitpunkt* können einen Rückzug oder sogar einen Abbruch der Beziehung bewirken und Emotionen aktivieren, die vom Betroffenen nicht bewältigt werden können.

Informationsvermittlung und Aufklärung sind nicht nur unter dem Empowermentblickwinkel sinnvoll, sondern Betroffene haben auch einen Rechtsanspruch darauf. Eine Behandlung darf außer in akuten Ausnahmefällen nur mit Zustimmung des Patienten erfolgen. Damit dieser aber wirklich in der Lage ist, sein »wohlinformiertes Einverständnis« zu geben, muss er zuvor über seine Erkrankung, über die Behandlungsmethoden, über Risiken wie Nebenwirkungen und über Behandlungsalternativen aufgeklärt worden sein. Diese Aufklärung muss darüber hinaus dokumentiert werden. Der Arzt haftet dem Patienten gegenüber für Schäden infolge mangelnder Aufklärung. Nur in sehr seltenen Ausnahmefällen darf auf die Aufklärung verzichtet werden, und zwar dann, wenn eine übermäßige Belastung des Patienten zu befürchten ist. Eine vorübergehende psychische Belastung muss aber in Kauf genommen werden.

Nur wer seine Situation durchschaut und über angemessene Informationen verfügt, kann sein Empowerment entfalten.

Grundprinzipien von Aufklärung und Informationsvermittlung

Ziele der Aufklärung und Informationsvermittlung bestehen darin, dass Klientinnen und Klienten ein möglichst ausgeprägtes Gefühl von Kontrolle über ihre Situation erhalten, dass sie mithilfe der Informationen ihre Erkrankung besser bewältigen können und dass sie zu einer möglichst selbstbestimmten Entscheidung befähigt werden. Dazu ist eine ganze Reihe von Grundprinzipien zu beachten:

Wer aufklärt, ist dafür verantwortlich, dass er verstanden wird: Er muss eventuelle Beeinträchtigungen eines Patienten wie Konzentrationsstörungen, rasche Ablenkbarkeit oder ein niedriges intellektuelles Leistungsniveau bei der Aufklärung berücksichtigen. Auf keinen Fall dürfen diese Einschränkungen als Begründung dazu dienen, gänzlich auf eine Aufklärung zu verzichten. Auch Migranten, die der deutschen Sprache kaum mächtig sind, haben ein Recht auf Aufklärung, ggf. müssen Dolmetscher hinzugezogen werden.

Aufklärung muss personenzentriert erfolgen: Unterschiedliche Menschen wünschen einen unterschiedlichen Grad an Information. Ein empowermentorientiertes Vorgehen bedeutet nicht zwangsläufig, viele oder gar alle Informationen weiterzugeben. Eine personenzentrierte Informationsvermittlung kann nur in einem wechselseitigen Gespräch stattfinden, in dem sich der professionell Tätige immer wieder des Anliegens und der Bedürfnislage des Betroffenen vergewissert.

Aufklärung dient der freien Entscheidungsfindung und nicht der Complianceförderung: Informationsvermittlung hat unter anderem die Funktion, den Klienten zu befähigen, eine eigene Entscheidung zu treffen (Kremer & Schulz 2020). In einer empowermentorientierten Vorgehensweise versuchen Fachpersonen nicht, den Klienten zu beeinflussen. Daher dürfen keine einseitigen Informationen vermittelt werden, die vornehmlich der Complianceförderung dienen. Im Alltag geschieht das aber weiterhin sehr häufig.

Aufklärung und Informationsvermittlung sind prozesshaft: In der Regel ist es nicht ausreichend, einen Patienten einmalig aufzuklären. Aufklärung ist vielmehr ein Prozess, der sich über eine längere Zeit, manchmal sogar über Jahre erstreckt. Wenn zu einem Zeitpunkt zu viele Informationen vermittelt werden, können diese nicht verarbeitet und verstanden werden. Beispielsweise ist oft zu beobachten, dass der Klient bei der Aufnahme in eine Klinik mit Informationen überhäuft wird, die er in der für ihn neuen Situation gar nicht aufnehmen kann. Die Aufgabe ist also, in passenden Portionen zum richtigen Zeitpunkt zu informieren.

Informationsvermittlung ist immer emotional: Natürlich ist eine Information wie »Sie leiden an einer Erkrankung, die wir Schizophrenie nennen«, eine höchst emotionale Angelegenheit. Das muss berücksichtigt werden, andernfalls ist keine professionelle Aufklärung möglich. Psychiatrisch Tätige machen sich den emotionalen Gehalt der vermittelten Informationen manchmal zu wenig deutlich.

ÜBUNG

Schließen Sie die Augen. Stellen Sie sich vor, dass Ihnen ein Arzt gegenübersitzt und Ihnen beispielsweise sagt: »Sie haben eine Krankheit, die wir Schizophrenie nennen.« Spüren Sie in Ihrem Körper, welche Reaktionen das bei Ihnen hervorruft. Welche Gefühle werden dadurch aktiviert?

Informationen sollen helfen, nicht schaden: Jede Information ist nur so gut, wie sie positive Konsequenzen für den Betroffenen enthält. Daher sind alle Informationen wichtig, die dem Klienten Mut für die weitere Auseinandersetzung mit der Erkrankung machen. Beispielsweise sind nicht nur Wiedererkrankungsraten zu vermitteln, etwa um jemanden zum Einhalten der Medikation zu bewegen, sondern auch Gesundungsraten. Teilweise werden Krisenrisiken überzogen dargestellt, um Klienten zu einer freiwilligen Medikation zu bewegen. Auf Begriffe, die negative Bilder beim Klienten hervorrufen, sollte weitgehend verzichtet werden. > Medikamenteninformation, Seiten 69 ff.

Keine Informationsvermittlung ohne Informationsaustausch: Letztlich ist der Begriff der Informationsvermittlung irreführend, es handelt sich nämlich eigentlich um einen wechselseitigen Informationsaustausch. Wer informiert, sollte sehr daran interessiert sein, was der Betroffene selbst über seine Krankheit denkt, welches Krankheitsmodell er hat, welche Einflussmöglichkeiten er sieht. Wenn Informationen nur einseitig »vermittelt« werden, führt das oftmals dazu, dass das Gehörte nicht mit den eigenen Erfahrungen in Verbindung gebracht wird. Klienten können dann etwa das ihnen vermittelte Vulnerabilitäts-Stress-Bewältigungsmodell zum Verständnis ihrer Psychose wiedergeben, haben aber parallel dazu ihr eigenes subjektives Krankheitsmodell beibehalten und werden so natürlich zusätzlich verwirrt.

Damit Informationen ankommen

Es gibt allgemein gültige Prinzipien zur Informationsvermittlung, die das Aufnehmen und Erinnern von Informationen erleichtern. Diese Prinzipien sollten natürlich auch in der Arbeit mit psychisch erkrankten Menschen berücksichtigt werden. Leider wird in der Ausbildung kein großer Wert auf die Vermittlung solcher Fähigkeiten gelegt, vielmehr werden sie selbstverständlich vorausgesetzt. Wichtige Elemente sind:

- entspannte Atmosphäre schaffen, alles tun was Angst reduziert,
- die Sprache des Klienten sprechen,
- Blickkontakt und Körpersprache nutzen,
- Fremdworte und Abkürzungen vermeiden,
- bildhafte Sprache verwenden,

- über ausgelöste Gefühle sprechen,
- kurze Sätze, wenig Relativsätze,
- Fragen stellen,
- zum Nachfragen ermuntern,
- schriftliche durch mündliche Informationsvermittlung ergänzen,
- zentrale Informationen wiederholen,
- eventuell zentrale Informationen notieren lassen,
- Nachfragen, was der andere verstanden hat,
- abschließende Zusammenfassung.

So ist eine Aufklärung im Rahmen einer Visite meistens eher ungünstig. Visiten sind für viele Klienten Stresssituationen, oftmals haben sie sogar Angst davor. Angst aber behindert die Informationsaufnahme. Ein Aufklärungsgespräch sollte daher eher in einem Zweier- oder Dreiergespräch erfolgen, so ist es besser möglich, eine entspannte Atmosphäre mit genügend Zeit zu schaffen. Es sollte alles getan werden, um die Situation für den Klienten möglichst entspannt zu gestalten. Telefongespräche sollten während des Gesprächs nicht durchgestellt werden, und falls gewünscht, sollte der Betroffene eine Person seines Vertrauens zum Gespräch einladen dürfen. Natürlich gibt es auch ganz einfache didaktische Empfehlungen. So sollten die Informationen möglichst anschaulich vermittelt werden: »In unserer Stadt sind etwa 500 Menschen von dieser Krankheit betroffen« ist viel konkreter und wird auch leichter erinnert als die sachliche Information: »An dieser Erkrankung leiden 1,5 Prozent der Bevölkerung.«

Psychoedukative Gruppen

Psychoedukative Gruppen dienen einer umfangreichen Informationsvermittlung. Es wurden verschiedenste Psychoedukationsprogramme für unterschiedliche Störungsbilder entwickelt, so beispielsweise für die Schizophrenie, für Depressionen, Angsterkrankungen oder bipolare Störungen (zur Übersicht siehe Behrendt & Schaub 2005; Jensen u. a. 2014). Ferner wurden auch Programme für Angehörige erarbeitet. Die meisten sind hochstrukturiert. Den professionell Tätigen werden Kopiervorlagen und Unterrichtsschemata zur Verfügung gestellt. Zunehmend mehr Kliniken bieten entsprechende störungsspezifische Programme an. Zudem beinhalten fast alle gruppentherapeutischen Manuale psychoedukative Bausteine.

Unter dem Empowermentblickwinkel ist diese Form der Informationsvermittlung einerseits zu begrüßen. Betroffene, die ansonsten wenig informiert würden, erhalten die Möglichkeit einer umfangreichen Aufklärung und eines Erfahrungsaustausches mit anderen Betroffenen. Andererseits besteht aber die Gefahr, dass die Beziehung zwischen kompetenter Fachperson (der »Lehrer«) und unwissendem Klienten (»Schüler«) beibehalten wird, wodurch Empowermentmöglichkeiten eher blockiert werden. In einer empowermentorientierten Psychoedukation versteht sich auch der Behandler als Lernender. Er vermittelt nicht einseitig sein Wissen, sondern es findet ein Informationsaustausch aller statt, beispielsweise über das jeweilige Krankheitsverständnis. Ein Modell für ein solches partnerschaftliches Lernen sind die über einhundert Psychoseseminare im deutschsprachigen Raum. Wichtig ist der Einbezug von Betroffenen (»Peers«) sowohl bei der Konzeption wie auch bei der Durchführung der Gruppen. > Peerarbeit, Seiten 121 f., 140 ff.

Nicht für jeden sind Gruppenangebote sinnvoll. Gerade für ersterkrankte Personen, die sich noch nicht lange mit der Erkrankung auseinandersetzen, ist häufig eine individuellere Information im Rahmen von Einzelgesprächen erforderlich, um den emotionalen Verarbeitungsmöglichkeiten gerecht zu werden. Eine Informationsvermittlung, die dies nicht berücksichtigt, kann einen Rückzug oder sogar ein reduziertes Krankheitsbewusstsein bewirken und Selbstbefähigungsmöglichkeiten behindern.

INTERNET Neben psychoedukativen Gruppen benötigen Betroffene viele andere Informationsquellen, um sich selbst über ihre Erkrankung und die Behandlungsmöglichkeiten Wissen anzueignen. Das Internet ermöglicht es heute vielen, in kurzer Zeit zentrale Informationen über Krankheitsbilder, Behandlungsmöglichkeiten, Wirkungen von Medikamenten etc. zu bekommen. Leider finden sich im Internet sowohl hilfreiche als auch weniger unterstützende Informationen und oft sogar eindeutige Fehlinformationen. Soziale Netzwerke werden zudem auch von Menschen genutzt, die Psychiatrieerfahrenen stigmatisierend gegenüberstehen.

Die Einrichtung einer Patientenbibliothek ist ebenfalls eine empowermentorientierte Informationsstrategie. Einrichtungen sollten überlegen, in welchem Rahmen sie die oft vorhandene Mitarbeiterbibliothek für Klienten und Angehörige öffnen können. Daneben sind Informationsbroschüren und Ratgeberbücher zu häufigen Erkrankungen und Behandlungsmethoden, die den Klienten mitgegeben werden können, unverzichtbar. Das gilt natürlich vor allem für ersterkrankte Personen. In vielen Einrichtungen ist zu beobachten, dass fast nur Informationsbroschüren ausliegen, die von der Pharmaindustrie erstellt wurden. Untersuchungen zeigen die Einseitigkeit der dort vermittelten Informationen (Loh u. a. 2005). Neutrale Informationsmaterialien bzw. solche, die in Kooperation mit Betroffenen entstanden sind, scheinen dringend nötig. Über Betroffenen- und Angehörigenverbände sind zahlreiche Broschüren und Materialien zu beziehen, ebenso sind im Netz zahlreiche Materialien zugänglich.

PATIENTENRECHTE Ein unter Empowermentgesichtspunkten besonders wichtiger Bereich der Information sind die Rechte des Patienten, auch jene Rechte, die Klienten den professionell Tätigen gegenüber haben. Und doch sind Patientenrechte für einige Fachpersonen, aber auch für Betroffene noch Neuland. Patientenrechte werden täglich tausendfach verletzt, beispielsweise das Arztgeheimnis oder die ärztliche Aufklärungspflicht. Empowermentförderung bedeutet, Klienten, soweit sie es wünschen, über ihre Rechte zu informieren. Das kann in Informationsgesprächen, aber auch durch Broschüren und Aushänge erfolgen. Informationsbroschüren über Patientenrechte dürfen heute in keiner psychiatrischen Institution fehlen. Es versteht sich von selbst, dass zu einer Empowermentförderung auch die Wahrung der Patientenrechte gehört, und zwar auch dann, wenn das die Arbeit psychiatrisch Tätiger »erschwert«. Dazu ist es erst einmal erforderlich, dass die Mitarbeiter selbst über die Rechte ihrer Klienten gut informiert sind.

Wichtige Patientenrechte in Deutschland sind unter anderem:

Freie Wahl von Hilfeangeboten: Alle Patientinnen und Patienten haben das Recht zur freien Arztwahl. Ist im Rahmen eines Betreuungs- oder Heimvertrages eine Regelung enthalten, die den Betroffenen vorschreibt, sich bei einem bestimmten Arzt behandeln zu lassen, so verstößt diese Regelung gegen das Recht und ist unzulässig. Im Krankenhaus gilt das Recht auf freie Arztwahl nicht, es besteht aber ein Wahlrecht bezüglich des Krankenhauses, in dem die Behandlung stattfinden soll. Das Recht auf freie Klinikwahl gilt nicht bei Zwangseinweisungen.

Ärztliche Aufklärungspflicht: Jede Behandlung bedarf der Einwilligung des Patienten. Der Arzt ist verpflichtet, den Patienten über die Diagnose, mögliche Behandlungsmethoden und deren Risiken zu informieren. Dazu gehört auch die Aufklärung über verschiedene Behandlungsmöglichkeiten, also beispielsweise über Psychotherapie. Auf die Aufklärung darf nur verzichtet werden, wenn der Patient dies ausdrücklich wünscht. Eine unvollständige ärztliche Information stellt einen Verstoß gegen das Selbstbestimmungsrecht des Patienten dar.

Recht auf informationelle Selbstbestimmung: Die Schweigepflicht verpflichtet alle Mitarbeiter, Informationen über den Betroffenen nicht an Dritte weiterzugeben. Eine Weitergabe an Angehörige oder weiterbehandelnde Stellen ist ohne Einwilligung des Betroffenen nicht zulässig. Auch wenn dies mancherorts der gängigen Praxis entsprechen mag, ist es rechtswidrig. Die behandelnde Einrichtung ist verpflichtet, bestimmte Informationen an die Krankenkasse und andere Stellen weiterzugeben. Darüber kann sich der Patient auf Wunsch informieren lassen.

Akteneinsicht: Generell hat der Betroffene ein Recht auf Akteneinsicht, das heißt, er darf die dokumentierten Informationen über seine Person einsehen und kann auf eigene Rechnung davon Kopien erstellen lassen. Es gibt jedoch Gründe, unter denen dieses Recht eingeschränkt werden kann, etwa wenn der Gesundheitszustand des Betroffenen unter der Akteneinsicht leiden könnte. In diesem Fall darf die Einrichtung die Akteneinsicht verweigern und muss stattdessen eine mündliche Vermittlung der Inhalte durch eine weitere Person, etwa einen Arzt, ermöglichen.

SELBSTREFLEXION

Wie gut sind Sie über die Rechte Ihrer Klienten informiert? Wann haben Sie das letzte Mal gegen das Recht eines Klienten verstoßen?

Wissen über Genesung

Um Genesungsprozesse anzustoßen und zu erleichtern, ist es wichtig, dass Betroffene über Recovery informiert sind. Dabei geht es nicht in erster Linie um rein sachliche Informationen, sondern auch um die Weitergabe von Erfahrungswissen. Genesene Betroffene berichten immer wieder, wie wichtig Mutmacher für sie waren, also andere Betroffene, die schon ein stabileres Leben führen können und ihnen als Vorbilder dienen.

Aufgrund der weiterhin vorhandenen Stigmatisierung psychisch kranker Menschen outen sich genesene Betroffene in der Regel nicht. Sie bleiben daher für andere Betroffene und für die Öffentlichkeit unsichtbar, wodurch sich Vorurteile über die Unheilbarkeit schwererer psychischer Erkrankungen eher halten. Daher ist es wichtig, dass Betroffene Zugang zu Mutmachern haben, beispielsweise können das Peers sein (siehe Utschakowski u. a. 2016). Wissen über Genesung und Mutmacher können Betroffenen aber auch auf andere Art zugänglich werden. Beispielsweise sollten sie Zugang zu Erfahrungsberichten haben, sei dies in Form von schriftlichen Erfahrungsberichten oder Filmdokumentationen. Informationen, die realistische Hoffnung stiften, sollten auch in psychoedukativen Gruppen oder anderen Gruppentreffen genutzt werden. Häufig existierende Vorurteile über den ungünstigen Verlauf psychischer Erkrankungen sollten bei Betroffenen und Angehörigen erhoben und durch realistische Informationen ersetzt werden. Im Internet gibt es mittlerweile Podcasts über Recoveryprozesse (siehe Anhang). In manchen Regionen sind zudem die schon erwähnten Recovery-Colleges gegründet worden.

BEISPIEL

> Ein Wohnheim lädt einmal im Jahr ehemalige Wohnheimbewohner ein und bittet sie, von ihren Erfahrungen nach dem Auszug aus dem Wohnheim zu berichten. Die Ehemaligen übernehmen die Mutmachfunktion für gegenwärtige Bewohner.

Selbststigmatisierung überwinden

Was ist Selbststigmatisierung?

Psychisch erkrankte Menschen, ihre Angehörigen und auch Fachpersonen sind natürlich mit den verbreiteten gesellschaftlichen Vorurteilen aufgewachsen. Wer erkrankt ist, wendet – oft unbewusst – diese negative Beurteilung und damit auch ihre negative Wirkung gegen sich selbst. Hat jemand etwa die Einschätzung: »Psychisch Kranke haben einen schwachen Charakter, aus ihnen kann nie etwas werden«, so wandelt sich diese allgemeine Überzeugung um in: »Ich habe einen schwachen Charakter, aus mir wird nie was werden.« Weitere Negativbewertungen können sein: »Ich bin weniger wert als die anderen«, »Ich bin gefährlich für die anderen«, »Psychische Erkrankungen sind eine Strafe Gottes für Sünden«, »Wer psychisch krank wird, ist selbst daran schuld«. Die gegen die eigene Person gerichtete Stigmatisierung nennen wir »Selbststigmatisierung«, ein Betroffener nannte sie einmal »das Stigma auf der Innenseite der Stirn«.

Selbststigmatisierungsprozesse sind eines der größten Recovery- und Empowermenthindernisse, die es gibt. Eine Selbstverurteilung der eigenen Person behindert natürlich den gesamten Genesungsprozess. Daher hat die Überwindung der Selbststigmatisierung und die Annahme der Krankheitserfahrung eine wichtige Bedeutung für die Recoveryförderung.

BEISPIEL

Eine Betroffene berichtet: »Als mir vor zwei Jahren die Diagnose Schizophrenie gestellt wurde, entwickelte ich wohl so etwas wie eine Art Selbststigmatisierung. Durch das Etikett der Schizophrenie fühlte ich mich beschmutzt. Geprägt durch meine Erziehung waren psychische Krankheiten für mich tatsächlich so etwas wie Krankheiten zweiter Klasse. Sie sind etwas, was andere betrifft, aber nicht einen selbst. Wie fehlgeleitet die Vorstellungen meiner Mutter in Bezug darauf sind, sieht man zum Beispiel daran, dass sie seit dem Klinikaufenthalt den Kontakt zu mir abgebrochen hat. Durch die Diagnose fühlte ich mich abgewertet und völlig verunsichert. Es ist ja fast unmöglich, die Tragweite der Aussage ›Sie sind schizophren‹ zu erfassen. Erst eine intensive Auseinandersetzung mit dem Thema, die Suche nach alternativen Krankheitsdefinitionen und Behandlungsmethoden und die Zeit haben mir geholfen, mich selbst neu zu sortieren.«

Eine besonders häufig vorkommende Folge der eigenen psychischen Erkrankung sind Schamgefühle (KNUF 2018; KNUF 2020). Es gibt zahlreiche Gründe für Schamgefühle bei psychisch beeinträchtigen Menschen. Der Betroffene kann sich dafür schämen, dass er überhaupt psychisch erkrankt ist. Weiter können Schamgefühle auftreten aufgrund des Verhaltens während der akuten Krisenzeit, vor allem bei Erinnerungslücken oder bei aggressivem oder moralisch zweifelhaftem Verhalten. Große Schamgefühle verursacht auch die Tatsache, in einer psychiatrischen Klinik gewesen zu sein, besonders dann, wenn es dort zu Gewalt- und Zwangsmaßnahmen gegen die Person gekommen ist.

Schamgefühle sind völlig normal und treten zumeist erstmals dann auf, wenn jemand aus seiner psychotischen Welt wieder auftaucht. Sie zeigen dann, dass der betroffene Mensch wieder in der Lage ist, sich in andere Menschen hineinzuversetzen. In dieser Phase sind sie damit eigentlich ein Zeichen dafür, dass jemand seine psychotische Krise überwunden hat, sie verdienen deshalb eine Wahrnehmung und positive Würdigung. Wenn sie länger anhalten, haben sie jedoch zahlreiche negative Folgen. Wenn wir uns schämen, würden wir am liebsten vor Scham »im Boden versinken«, möchten uns den Blicken der anderen entziehen, ja geradezu unsichtbar sein. Vor Scham kann man sich verstecken, sich von anderen zurückziehen, was bis zur sozialen Isolierung reichen kann.

Diese typischen Schamreaktionen treten natürlich auch bei Menschen mit psychischen Erkrankungen bzw. mit Psychiatrieerfahrung auf. Teilweise haben diese Reaktionsweisen große Ähnlichkeit mit Symptomen der auslösenden psychischen Erkrankung und werden daher manchmal damit verwechselt. Zieht sich jemand von seiner Umwelt zurück aufgrund einer psychotischen Erkrankung und der damit verbundenen Negativsymptomatik? Oder ist der Rückzug die Folge der ihn belastenden Schamgefühle? Dies klar zu unterscheiden ist kaum möglich. Die klassische Psychiatrie ist aber schnell versucht, entsprechende Verhaltensweisen zu pathologisieren und als Teil einer psychiatrischen Erkrankung zu interpretieren.

Eine weitere Konsequenz der Selbststigmatisierung kann die Selbstdiskriminierung sein. Eine respektvolle Behandlung etwa wird dann gar nicht mehr erwartet, da der Betroffene davon ausgeht, dass sie ihm gar nicht zusteht. Oder er bewirbt sich nur noch auf anspruchslose Arbeitsstellen, da er davon überzeugt ist, dass psychisch kranke Menschen zu komplexeren Tätigkeiten nicht in der Lage sind.

Selbststigmatisierung meint die negative Beurteilung der eigenen Person aufgrund einer psychiatrischen Diagnose oder einer psychiatrischen Behandlung. Sie ist die in die eigene Person genommene Fremdstigmatisierung und ist eine der größten Recoveryhindernisse aufseiten der Betroffenen.

Professionelle Strategien gegen Selbststigmatisierung

Durch professionelle Hilfe kann es den Betroffenen erleichtert werden, ihre Selbststigmatisierung samt negativen Folgen zu durchschauen und sich von ihnen zu lösen. Dazu müssen psychiatrisch Tätige in der Lage sein, sich in die Selbststigmatisierung ihrer Klienten einzufühlen. Beispielsweise bedarf es eines Verständnisses dafür, dass diese tieferen inneren Prozesse nur schwer zu beeinflussen sind und die Betroffenen oft lebenslang mit ihnen ringen. Sie können ruhen, werden aber durch erneute Krisen oder Misserfolgserlebnisse schnell wieder geschürt. Klienten berichten oft nicht von sich aus von ihren Selbststigmatisierungen, da diese Prozesse automatisiert und damit eher unbewusst ablaufen. Auch emotionale Reaktionen wie etwa Schamgefühle werden erst offen angesprochen, wenn es ein vertrauensvolles Verhältnis zwischen Fachperson und Betroffenem gibt.

Zur Selbststigmatisierung kommt es nur, wenn der betroffene Mensch die gesellschaftlichen Vorurteile für berechtigt hält. Daher ist es hilfreich, eine Reflexion über die eigene Einschätzung von psychisch kranken Menschen zu fördern. Dies kann in Selbsthilfegruppen, im Rahmen von Psychotherapie oder auch in alltagsbegleitenden Gesprächen geschehen. Wichtige Fragen dabei sind unter anderem:

- Mit welchen Vorurteilen und Stereotypen gegenüber psychiatrieerfahrenen Menschen bin ich aufgewachsen?
- Was dachte ich vor meiner Erkrankung über psychisch erkrankte Menschen und was denke ich heute über sie?
- Welche dieser Einschätzungen wende ich auch auf mich selbst an?
- Was glaube ich, was meine Umgebung über mich denkt (Vater, Mutter, Geschwister, Arbeitskollegen, Nachbarn)?

Neben der Überwindung der Selbststigmatisierung ist die Hilfe beim Umgang mit real erlebten Stigmatisierungen und Diskriminierungen sehr wichtig. Dafür wird der Begriff »Stigmamanagement« verwendet. Wie kann ich mich als psychiatrieerfahrener Mensch verhalten, wenn sich etwa ein Arbeitskollege abfällig über psychisch erkrankte Menschen äußert? Wie gehe ich bei einem Vorstellungsgespräch mit drohender Stigmatisierung um? Wie behaupte ich mich, wenn ich von einer Behörde diskriminiert werde?

OUTEN Zentral ist bei all diesen Fragen, ob sich der Betroffene mit seiner Psychiatrieerfahrung vor anderen outen sollte. Es kann ein wichtiger Empowermentschritt sein, sich mit der eigenen Erkrankung nicht länger zu verstecken. Viele Betroffene berichten, dass sie dadurch ein ganz neues Selbstbewusstsein entwickelt haben und sich auch selbst mit ihrer Erkrankung besser aussöhnen können. Außerdem kann ein Outing den Zugang zu bestimmten Hilfen erleichtern. Beispielsweise bietet ein Schwerbehindertenausweis bestimmte Rechte und Vorteile, kann aber auch zu einer veränderten Wahrnehmung des Betroffenen durch die Umgebung führen.

Die Offenlegung der Erfahrung einer psychischen Erkrankung und einer psychiatrischen Behandlung kann aber auch weitere Stigmatisierung und Diskriminierung zur Folge haben. Allgemein gilt die Empfehlung, mit einem Outing vorsichtig zu sein, wenn sich der Betroffene unsicher fühlt. Ein Outing lässt sich nämlich nicht rückgängig machen. Wer einmal diesen Schritt gegangen ist, muss zukünftig damit leben, dass die Umgebung von seiner Psychiatrieerfahrung weiß. Jedem wahllos von der eigenen Erkrankung zu berichten kann angesichts der tatsächlich existierenden gesellschaftlichen Vorurteile sogar selbstschädigend sein.

Empowermentförderung bedeutet hier, dem Betroffenen bei einem selbstbestimmten und reflektierten Umgang mit Informationen über seine psychische Erkrankung zu helfen, ihn auf Risiken und Chancen aufmerksam zu machen sowie die Frage »Soll ich oder soll ich nicht?« zu differenzieren: Wem möchte ich was wie über mich erzählen?

Eine Aufarbeitung von Selbststigmatisierungstendenzen sowie Hilfen zur Selbstbehauptung bei Fremdstigmatisierung können auch in professionellen Gruppenprogrammen geschehen. Das Thema der Selbststigmatisierung spielt eine zentrale Rolle in vielen Recoverygruppen, die in Einrichtungen immer öfter von Peers angeboten werden. Wer könnte wohl besser ein Gespräch über Selbststigmatisierung und Stigmamanagement anleiten als betroffene Menschen, die dies aus eigener Erfahrung kennen?

Besonders wichtig zur Überwindung von Selbststigmatisierung ist eine freundliche Grundhaltung sich selbst gegenüber. Diese Fähigkeit wird heute als »Selbstmitgefühl« bezeichnet und hat sich in Krisensituationen dem »Selbstwertgefühl« als überlegen herausgestellt. Klienten sollten darin unterstützt werden, freundlich mit sich umzugehen, was vielen jedoch ausgesprochen schwerfällt. Selbststigmatisierung ist in vielen Fällen Ausdruck einer generell überkritischen und selbstverurteilenden Haltung zur eigenen Person. Inzwischen wurden zahlreiche Methoden entwickelt, um eine freundliche Grundhaltung zu sich selbst zu kultivieren (Knuf 2016).

Stigmatisierung in psychiatrischen Institutionen

Selbststigmatisierung wird durch Fremdstigmatisierung gefördert und aufrechterhalten. Stigmatisierung und Diskriminierung auf gesellschaftlicher Ebene sind durch professionelle Arbeit kaum zu verändern. Was professionell Tätige aber verändern können, ist die Stigmatisierung durch psychiatrische Einrichtungen.

Psychisch kranke Menschen werden in Institutionen etwa stigmatisiert, wenn ihnen aufgrund ihrer Erkrankung weniger geglaubt wird als gesunden Personen oder wenn jegliches Verhalten als Ausdruck ihrer Erkrankung interpretiert wird. So berichten Menschen mit einer manisch-depressiven Erkrankung, dass ihnen ein selbstbewusstes Auftreten in krisenfreier Zeit von professioneller Seite manchmal schon als »maniformes Zustandsbild« ausgelegt wird. Stigmatisierung geschieht auch, wenn Diagnosen nicht nur ein psychisches Erleben beschreiben, sondern von professioneller Seite eine Bewertung beinhalten. Zudem werden häufig ganze Klientengruppen stigmatisiert.

BEISPIEL

Viele Mitarbeitende psychiatrischer Einrichtungen haben ein negatives Bild von Borderlineklienten. »Borderliner sind Teamspalter« oder »Nicht schon wieder ein Borderliner« heißt es in vielen Einrichtungen. So wird eine ganze Klientengruppe stigmatisiert. Hintergrund dieser Abwertung ist in vielen Fällen, dass professionell Tätige nicht genügend für die Arbeit mit Borderlineklienten qualifiziert sind und zudem in Settings und mit Methoden arbeiten, die bei diesen Klienten wenig bewirken. Dies führt zu belastenden Situationen für beide Seiten sowie zu Misserfolgserfahrungen der Fachpersonen. Dadurch kommt es zur Stigmatisierung von Borderlineklienten, was wiederum die Behandlung erschwert und die Frustration der Mitarbeiter erhöht. Kollegen, die hinreichend qualifiziert sind und mit borderlinespezifischen Methoden arbeiten, können diese Teufelskreise vermeiden.

Auch Gewalt und Zwang wirken stigmatisierend. Die Psychiatrie ist ausführendes Organ einer Gesellschaft, die psychisch kranke Menschen diskriminiert. Während ein Tumorpatient jegliche Therapie ablehnen darf, kann ein psychiatrieerfahrener Mensch selbst dann zwangsweise einer Behandlung zugeführt werden, wenn er nicht suizidal ist und keine Fremdgefährdung vorliegt.

Zusätzlich zu den institutionsbedingten Formen der Stigmatisierung und Diskriminierung neigt natürlich auch jeder Mitarbeiter in mehr oder weniger starkem Maß zu Stigmatisierungen. Wie sollte es auch anders sein, schließlich sind auch psychiatrisch Tätige mit gesellschaftlichen Vorurteilen aufgewachsen und können diese nicht einfach ablegen? Untersuchungen zeigen, dass sich die Stigmaneigung von Fachpersonen gegenüber Betroffenen nicht deutlich von der der Gesamtbevölkerung unterscheidet. Um längerfristig eine nicht stigmatisierende Behandlung zu ermöglichen und dadurch auch der Selbststigmatisierung entgegenzuwirken, ist auf professioneller Seite mehr Bewusstsein für diese Prozesse erforderlich. Folgende Fragen sind hilfreich:

- Welche Stereotype bzw. Vorurteile gegenüber psychiatrieerfahrenen Menschen habe ich gelernt?
- Welche Stereotype bzw. Vorurteile gegenüber psychiatrieerfahrenen Menschen gibt es heute noch in meiner Herkunftsfamilie oder sonst in meinem sozialen Umfeld?
- Welche Einschätzungen mir selbst gegenüber hätte ich, wenn ich Patient einer psychiatrischen Klinik würde?
- Ertappe ich mich dabei, dass ich psychiatrieerfahrene Menschen weniger wertschätze als Gesunde bzw. als mich selbst, weniger glaube als Gesunden, selbst verantwortlich mache für ihre Erkrankung?

Ich kenne viele psychiatrisch diagnostizierte Menschen, die als Ärzte, Psychologen, Pflegekräfte oder Sozialarbeiter in der psychiatrischen Versorgung tätig sind, sich aber aufgrund der befürchteten Stigmatisierung durch Kollegen nicht zu einem Outing entscheiden können. Wenn sie offen von ihrer eigenen Psychiatrieerfahrung sprechen würden, wäre das ein deutliches Zeichen dafür, dass die Psychiatrie ihre Neigung zur Stigmatisierung reduziert hat.

SELBSTREFLEXION

Angenommen, Sie würden von einer Kollegin, mit der Sie bisher gut zusammengearbeitet haben, erfahren, dass sie lange wegen einer Borderlinestörung in ambulanter Behandlung war: Wie würde sich durch diese Information Ihre Wahrnehmung dieser Kollegin ändern?

Das Annehmen der eigenen Person und der Erkrankung

Genesung setzt die Akzeptanz der eigenen Person und der Erkrankung voraus. Damit ist nicht gemeint, dass ein betroffener Mensch unbedingt der Diagnose des Hilfesystems zustimmen muss, er muss nicht »zugeben«, dass er an einer Schizophrenie oder einer anderen psychischen Erkrankung leidet. Wichtig ist aber, dass er eigene Belastungsgrenzen anerkennt, und sieht, dass er in Krisenzeiten auf Hilfe angewiesen ist, sei dies nun die klassisch professionelle oder eine andere Form der Fürsorge.

Was bedeutet Akzeptanz?

Akzeptanz oder Annahme stammt vom lateinischen Wort »accipere« ab, was so viel bedeutet wie »empfangen, was gegeben wird« (LUOMA u.a. 2009). Es meint, die gegenwärtige Situation zunächst so anzuerkennen, wie sie ist, innerlich zu sagen: »Ja, so ist es« statt »Nein, so will ich es nicht«.

Die amerikanische Recoveryvertreterin Patricia Deegan macht in ihrer Definition von Recovery auf die Bedeutung der Annahme aufmerksam: »Recovery zielt nicht auf ein Endprodukt oder ein Resultat. Es bedeutet nicht, dass man ›geheilt‹, oder einfach stabil ist. Recovery beinhaltet eine Wandlung des Selbst, bei der einerseits die eigenen Grenzen akzeptiert werden und andererseits eine ganze Welt voller neuer Möglichkeiten entdeckt wird. Dies ist das Paradoxe an Recovery: Beim Akzeptieren dessen, was wir nicht tun oder sein können, beginnen wir zu entdecken, wer wir sein können und was wir tun können« (DEEGAN 1996 a, S. 13, eigene Übersetzung).

Es gibt unterschiedliche Grade der Annahme. Der erste Schritt besteht darin, schlicht anzuerkennen, was ist, auch wenn ich es nur »zähneknirschend« tue. Die gegebene Situation wird noch nicht bejaht, aber in ihrem Dasein akzeptiert: »Ja, verdammt noch mal, mir wurde gestern gekündigt.« Oder: »Ja, ich habe wieder diese Frühwarnzeichen, die schon mehrmals vor einer neuen Krise aufgetreten sind.« Ohne dieses schlichte Anerkennen ist keinerlei Veränderung möglich. Wir kennen viele Situationen, in denen Klienten (und auch uns selbst) das Anerkennen des Gegebenen nicht gelingt: Jemand ist verschuldet und öffnet die Mahnschreiben der Gläubiger nicht. Eine ältere Klientin träumt davon, wieder ins eigene Haus einzuziehen, nachdem sie gerade ins Seniorenwohnheim umgezogen ist. Oder es fällt uns schwer, zu unseren »Macken« zu stehen oder unseren eigenen Anteil an einem Streit mit einer Kollegin wahrzunehmen.

Annahme oder Akzeptanz ist mehr als das reine Anerkennen. Wir nehmen dann eine Situation oder eine Eigenschaft von uns als gegeben an, ohne sie zu verurteilen. Akzeptanz bedeutet nicht, dass man die aktuelle Situation gut finden oder gar lieben muss. Es bedeutet aber, selbst zu Dingen Ja zu sagen, die wir uns nicht so wünschen, wie sie sind. Diese Annahme auch des Unangenehmen nennt Marsha M. LINEHAN (1996) treffend die »radikale Akzeptanz«.

Aus einer spirituellen Perspektive gibt es darüber hinaus noch eine weitere Form der Annahme, die manchmal auch als »Hingabe« bezeichnet wird und eine innere Haltung beschreibt, bei der jeglicher innerer Widerstand verschwunden ist, ganz gleich, was passiert. »Nicht mein Wille geschehe, sondern dein Wille« – mit diesem Zitat aus der Bibel wird im christlichen Kulturkreis diese Form der bedingungslosen Hingabe beschrieben, mit der es wohl leichter ist, schwere Schicksalsschläge wie Krankheit, Alter und Tod anzunehmen.

Fälschlicherweise wird Annahme oft mit Resignation verwechselt und damit als das Gegenteil von Empowerment verstanden. Dabei bedeutet Annahme gerade nicht, sich einer unangenehmen Situation zu fügen, ohne sich um Veränderung zu bemühen. Nach meiner Erfahrung ist der Grund für ein geringes Empowerment psychiatrieerfahrener Menschen nicht das Akzeptieren ihrer Lebenssituation, sondern gerade das Nichtakzeptieren. Der daraus entstehende innere Kampf mit oftmals vorprogrammiertem Scheitern führt zur Verzweiflung, Hoffnungslosigkeit und Passivität.

Menschen resignieren nicht deshalb, weil sie ihre Situation annehmen, sondern sie resignieren, weil sie ihre Situation nicht akzeptieren können und ihre Versuche, diese zu verändern, fehlgeschlagen sind.

Resignation ist oft die Folge eines Festhaftens an einer nicht zu ändernden Situation. Es gelingt dann eben nicht, neue Lebensmöglichkeiten zu entdecken.

Eine Erkrankung anzunehmen bedeutet auch nicht, sich einzureden, dass sie irgendwie gut sei für die betroffene Person. Hinter dieser Haltung steht im Gegenteil sogar meistens ein Nichtakzeptieren dessen, was ist. Fast alle erkrankten Menschen wünschen sich, dass sie nicht mehr psychisch krank sind, und dieser Wunsch ist wichtig, um Veränderungsprozesse überhaupt zu ermöglichen. Annehmen bedeutet vielmehr, sich nicht als Person dafür zu verurteilen, dass man diese Erkrankung hat, und der Tatsache des Krankseins zuzustimmen, auch wenn man es sich anders wünschen würde. Es ist diese Haltung: »Ich weiß, dass ich anfällig für psychische Krisen bin, ich wünschte mir, das würde sich ändern. Aber jetzt ist es so und es ist nicht meine Schuld, deshalb verurteile ich mich nicht dafür.« Eine solche Haltung zu gewinnen, kann sehr schwer sein. Wem dies gelingt, der kann stolz auf sich sein und verdient den Respekt seiner Umgebung.

Krankheitsfolgen annehmen

Die eigene Krisenerfahrung zu bewältigen und anzunehmen ist eine der größten Herausforderungen, denen sich psychiatrieerfahrene Menschen auf ihrem Gesundungsweg stellen müssen. Wem es nicht gelingt, sich auch mit seiner Krisenerfahrung anzunehmen, der gerät häufig in folgende Reaktionsmuster: Entweder klagt sich die Person selbst für ihre psychische Erkrankung an und schämt sich vielleicht für die Krisenerfahrung. Dann ist die Gefahr groß, aufgrund der Selbstverurteilung depressiv, antriebslos oder mutlos zu werden und sich von der Umgebung zurückzuziehen. Die andere Möglichkeit ist, die Tatsache der Erkrankung überhaupt nicht anzuerkennen. Dann wird ein Teil der Realität ausgeblendet. Möglicherweise werden dann Frühwarnzeichen verleugnet oder Hilfe kann nicht geplant und angenommen werden. Beide Reaktionsweisen sind für den Betroffenen und sein Umfeld schädlich. Depressiver Rückzug oder ein geringes Krankheitsbewusstsein sind nicht zwangsläufig Folgen einer Krankheitsdynamik, sie können ebenso Folgen einer geringen Akzeptanz der Krankheitserfahrung sein.

Leider fallen mir sehr viele psychisch kranke Menschen ein, denen die Annahme der eigenen Krankheitserfahrung und der mit der Erkrankung verbundenen Veränderungen nicht gelungen ist. Bei vielen von ihnen sind es gar nicht so sehr die durch die Erkrankung entstandenen Einschränkungen, die zur Belastung geworden sind und ein Hindernis für den Genesungsprozess darstellen, sondern der innere Kampf dagegen, die Selbstverurteilung, die Scham und das Festhalten daran, dass alles wieder so sein soll wie früher, also die Verleugnung der aktuellen Realität. Hier einige Beispiele:

BEISPIEL 1

Ein mittlerweile 42-jähriger psychoseerfahrener Mann ist schon mehrmals akut psychotisch erkrankt. Auch sein Vater litt an einer schizophrenen Psychose und starb vor einigen Jahren in einem psychiatrischen Pflegeheim. Der Patient selbst ist der festen Überzeugung, nicht krank zu sein. Schon vor seiner eigenen Erkrankung verleugnete er die Krankheitserfahrung seines Vaters. Eine Trauer über die Krankheit und den frühen Tod des Vaters hat nicht stattgefunden. Er nimmt Hilfen nicht in Anspruch, weshalb bereits mehrmals Zwangseinweisungen eingeleitet wurden.

BEISPIEL 2

Ein junger Mann, der manisch-depressiv erkrankt ist, berichtet im Rahmen des Betreuten Wohnens seinem Betreuer immer wieder davon, wie sehr er sich seine frühere Freundin zurückwünsche, die sich während einer Krise von ihm getrennt habe. Gedanklich ist er auch nach der Krise ständig mit seiner früheren Partnerin beschäftigt und kann sich nicht für neue Begegnungen öffnen. In einer rasch wieder auftretenden manischen Krise ist er der Überzeugung, seine ehemalige Partnerin wünsche sich ebenfalls, die Beziehung fortzusetzen. Als er während der Krise eines Nachts vor ihrer Tür steht, ruft sie die Polizei. Nach der manischen Phase wird der Patient wieder schwer depressiv, seine Gedanken kreisen weiter um die Trennung und jetzt auch um die Scham über die Ereignisse in der manischen Krise.

Psychisch kranken Personen fällt es nicht schwerer als anderen, sich und ihre Situation anzunehmen, ihnen stellen sich vielmehr größere Herausforderungen zur Annahme als den meisten anderen Menschen (Knuf & Bridler 2008). Die Erfahrungen und Empfindungen, die es anzunehmen gilt, sind immens, und professionell Tätige machen sich diese geradezu unbeschreibliche Herausforderung oft nicht wirklich klar.

VERLUSTERLEBEN Neben der Akzeptanz der Diagnose und Bewältigung der Symptome muss auch die Tatsache angenommen werden, eine Behandlung zu brauchen. Schmerzlich ist die Erfahrung der erlittenen Verluste (Arbeitsplatzverlust, Trennung von Lebenspartnern etc.) und die Bewältigung des »ungelebten Lebens«. Darunter lässt sich all das verstehen, was jemand aufgrund seiner Erkrankung nicht leben konnte, etwa die Gründung einer Familie mit Kindern oder der Aufbau einer beruflichen Karriere. Für viele stellt es eine unglaubliche Herausforderung dar, diese Grenzen anzunehmen, nicht zu hadern, zerbrochene Lebensentwürfe loszulassen und andere Lebensperspektiven zu entwickeln. Während die Copingforschung und die Arbeitsweise der konventionellen Psychiatrie vor allem darauf ausgerichtet ist, mit Symptomen zurechtzukommen, zeigt sich im Recoveryansatz, dass zur Gesundung die Bewältigung von Verlusten, Einschränkungen, sozialen Ausgrenzungen etc. oft viel zentraler ist. Gerade die Annahme von Verlusten und des ungelebten Lebens sind für viele Menschen Herausforderungen, denen sie ohne Unterstützung nicht gewachsen sind.

TRAUERARBEIT Um all das zu bewältigen, ist Trauerarbeit über die erlittenen Verluste notwendig. Trauer meint einen emotionalen Prozess der Loslösung von etwas Verlorenem. Sie wird gemeinhin mit dem Verlust von Menschen in Verbindung gebracht, aber wir müssen ebenso trauern um Dinge, Lebensphasen, Lebenschancen, Träume, soziale Kontakte etc., die wir verloren haben und die nicht mehr zurückkehren werden. Es gibt wohl keinen Genesungsweg ohne Trauer. Deshalb dürfte es auch keine psychiatrische Arbeit geben ohne Trauerunterstützung. Wenn Trauer nicht gelingt, scheitert die Genesung. Betroffene bleiben dann an ihre Vergangenheit gebunden (»Alles soll wieder so sein wie früher«) und können sich nicht für Neues öffnen.

In meinen Augen ist Trauer eines der großen Tabus der gegenwärtigen Psychiatrie. Klienten fällt es oft sehr schwer, ihre Trauer zuzulassen, und mir scheint, dass das Hilfesystem sich dieser Trauerverleugnung anschließt. Anders jedenfalls kann ich mir die geringe Sensitivität von uns Fachpersonen für dieses Thema nicht erklären. Ein sehr erfahrener Psychiatriepfleger berichtete mir, dass ihm während seiner Ausbildung vermittelt worden sei, er solle einen schizophreniekranken Menschen nie auf die durch die Erkrankung erlittenen Verluste ansprechen, da er sonst Suizidimpulse schüren könne. Aus Angst vor dem beim Klienten aufkommenden Schmerz wird dieses Thema also tabuisiert, allerdings zu einem enormen Preis: Wenn Trauerprozesse nicht gelingen, kommt es zu einer chronischen Trauer, die mit zahlreichen negativen Folgen verbunden ist, beispielsweise sozialem Rückzug, Zukunftsverschlossenheit, depressiver Symptomatik.

Hinzu kommen iatrogene Faktoren, die Trauerprozesse erschweren. So behindern viele Psychopharmaka den Trauerprozess, da sie einen emotional dämpfenden Effekt haben. Außerdem besteht die Gefahr, dass im psychiatrischen Kontext Symptome eines natürlichen Trauerprozesses, wie beispielsweise starke Emotionen und ein schneller und häufiger Wechsel von Gefühlen, pathologisiert werden. Fachpersonen sollten sich der Wichtigkeit von Trauer im Genesungsprozess bewusst sein. Sie sollten wissen, woran Trauerprozesse erkannt und wie sie hilfreich begleitet werden können.

Trauer gelingt durch eine Öffnung für Gefühle von Schmerz, Traurigkeit, Verzweiflung oder auch Wut. Wenn diese Gefühle hinreichend gefühlt werden, klingen sie langsam ab, und dann ist die Person in der Lage, sich von dem Verlorenen emotional zu lösen. Ohne die

Hinwendung zu den unangenehmen Gefühlen ist jedoch keine Loslösung möglich.

BEISPIEL

> Herr Es litt darunter, dass er nach mehreren psychotischen Krisen seinen Arbeitsplatz verlor und schließlich berentet wurde. Lange gab er sich selbst die Schuld dafür und fühlte sich minderwertig. Während einer Psychotherapie konnte er wahrnehmen, dass er selbst keinen Einfluss auf den Krankheitsverlauf hatte, was zunächst noch mehr Schmerz und Ohnmacht hervorrief. Durch zahlreiche Gespräche klangen das Minderwertigkeitserleben und die Selbstvorwürfe jedoch ab. Übrig blieb lediglich die Traurigkeit darüber, dass er seiner Arbeit, die er gerne gemacht hatte, nicht mehr nachgehen konnte.

Trauerbegleitung ist nicht in erster Linie handlungsorientiert, es geht vielmehr um ein gemeinsames Aushalten und Tragen des Schmerzes – und das unter Umständen über einen längeren Zeitraum. Doch gerade dieses passiv erscheinende Mittragen und »Dabeisein« fällt uns in einem auf Veränderung und Effektivität ausgerichteten Arbeitsalltag oft sehr schwer. Es gelingt nur, wenn wir uns emotional von unseren Klienten berühren lassen, was wiederum die Unterstützung innerhalb des Teams und eine hinreichende eigene Psychohygiene voraussetzt.

Trauer bedeutet, sich dem Schmerz zu öffnen, der durch einen Verlust hervorgerufen wurde. Viele Klienten brauchen Unterstützung, um sich ihrer Traurigkeit öffnen zu können.

Mitarbeit von Betroffenen in Einrichtungen und Gremien

Eng verzahnt mit dem Recoveryansatz ist die sogenannte Peerarbeit (»Genesungsbegleitung«). Mit »Peers« sind Betroffene gemeint, die qualifiziert werden, um selbst in psychiatrischen Einrichtungen, in der Beratung oder Ähnliches mitarbeiten zu können. Meist handelt es sich um Personen, denen bereits Genesungsschritte möglich wurden und die so auch für andere Betroffene als Mutmacher fungieren können. In den letzten zehn Jahren ist im deutschsprachigen Raum eine sehr engagierte Peerbewegung entstanden (UTSCHAKOWSKI u. a. 2016). In zahlreichen Städten gibt es mittlerweile entsprechende Qualifizierungsmöglichkeiten.

QUALIFIZIERUNG Die Qualifizierung der Peers erfolgt in den sogenannten EX-IN-Gruppen. »EX-IN« steht für »experienced involvement« und meint die Beteiligung von Menschen mit Erfahrungswissen in Einrichtungen. Die Betroffenen erhalten in den EX-IN-Gruppen eine intensive Zusatzqualifikation über etwa 250 Fortbildungsstunden (Informationen: www.ex-in.de). > Peers, Seiten 121 f.

Peers können in ganz verschiedenen Bereichen eingesetzt werden. Dazu zählen beispielsweise die Mitarbeit in psychiatrischen Institutionen, die Öffentlichkeitsarbeit bzw. Antistigmaarbeit, die Beteiligung an Forschungsprojekten sowie die Mitarbeit in der Aus-, Fort- und Weiterbildung psychiatrisch Tätiger. Sie können das Beratungsangebot einer Einrichtung ergänzen, können auf einer psychiatrischen Station oder in einem Wohnheim Recoverygruppen anbieten oder können ähnliche Betreuungsaufgaben übernehmen wie klassisch professionell Tätige.

Innerhalb der Empowermentbewegung wird natürlich schon seit Jahrzehnten Peer-to-Peer-Arbeit praktiziert: Betroffene unterstützen sich gegenseitig, Informationen werden ausgetauscht und weitergegeben, Selbsthilfegruppen gegründet. Diese Unterstützungsarbeit basiert größtenteils auf dem Gegenseitigkeitsprinzip wie im Rahmen einer klassischen Selbsthilfegruppe, in der sich mehrere Betroffene durch das Einbringen ihrer Erfahrungen wechselseitig unterstützten und so voneinander profitieren. Aber oft unterstützen auch Menschen, die selbst weniger Hilfe benötigen, andere Betroffene, die auf mehr Unterstützung angewiesen sind. Schon seit vielen Jahren professionalisiert sich diese Selbsthilfearbeit. Beispielsweise unterhalten lokale Selbsthilfeorganisationen Beratungshotlines oder haben bezahlte Selbsthilfeberater eingestellt.

Leider gelingt es den Selbsthilfeorganisationen nur schwer, eine Finanzierung für ihr Selbsthilfeangebot zu finden, sodass der größte Teil dieser Peer-to-Peer-Arbeit weiterhin ehrenamtlich geleistet wird. Viele dieser »Experten durch Erfahrung« haben sich im Laufe der Zeit umfangreich qualifiziert, indem sie Beraterausbildungen abgeschlossen oder an regulären sozialpsychiatrischen Fort- und Weiterbildungen teilgenommen haben.

Neu an der aktuellen Peer-to-Peer-Arbeit ist zum einen die gezielte Qualifizierung der Peers, die speziell auf die Bedürfnisse von psychiatrieerfahrenen Menschen abgestimmt ist, und zum anderen auch eine ideologiefreie Zusammenarbeit zwischen Betroffenen und professionell Tätigen jenseits antipsychiatrischer Positionierungen aufseiten der Betroffenen oder herrschaftsorientiertem Machterhalt aufseiten der professionell Tätigen. Zudem gibt es mittlerweile einen Konsens darüber, dass diese Peer-to-Peer-Arbeit auch vergütet werden muss. Mancherorts sind bereits bezahlte Stellen geschaffen worden, aber vielerorts fehlen finanzielle Möglichkeiten oder die entsprechenden Entscheidungen, um Peers finanziell entschädigen zu können.

Peer-to-Peer-Arbeit scheint mir nur möglich zu sein in Institutionen, in denen bereits eine beachtliche Entwicklung hin zu nutzerorientierten Behandlungsstrukturen und partnerschaftliche Beziehungsgestaltung stattgefunden hat – andernfalls sind auch die professionell Tätigen auf die Zusammenarbeit mit Peers nicht entsprechend vorbereitet und »qualifiziert«. Dazu gehören Entwicklungen wie der trialogische Austausch in Psychose-Seminaren oder anderen Trialogforen, die Einführung von Behandlungsvereinbarungen, die Mitarbeit von Betroffenenvertretern in Gremien sowie die Etablierung von Beschwerdestellen oder funktionsfähigen Werkstatt-, Heim- oder Klinikbeiräten.

Peers brauchen nicht nur eine Qualifizierung, sondern auch eine gute Vernetzung mit anderen Betroffenen. Die Zusammenarbeit mit der bisherigen Selbsthilfebewegung scheint mir daher für viele Peertätigkeiten unerlässlich zu sein. Eine offene Frage ist, wie die bisherige ehrenamtlich erbrachte Mitarbeit Betroffener und eine bezahlte Tätigkeit von ausgebildeten Peers miteinander vereinbar sind, ohne dass sich beide Gruppen als Konkurrenten erleben. Peers und ihre Erfahrungen dürfen nicht von den Institutionen und dem Gesundheitssystem missbraucht werden. Das wäre beispielsweise der Fall, wenn Peers vornehmlich aus Spargründen eingesetzt werden, zukünftig professionell Tätige ersetzen sollen oder der Selbsthilfebewegung zugunsten von Institutionen »das Wasser abgraben«. Peers sollten eher als *Ergänzung* des bisherigen Unterstützungsangebotes verstanden werden, andernfalls können sich professionell Tätige von Peers bedroht fühlen. Die Einführung von Peermitarbeit kann dann erschwert oder sogar sabotiert werden.

Partizipation von Betroffenen in Gremien

In zunehmend mehr Institutionen und Regionen wird Betroffenenvertretern eine Partizipation in institutionellen Gremien ermöglicht. Beispiel dafür sind die in Deutschland gesetzlich vorgeschriebenen Heimbeiräte, aber auch Werkstatt- und Klinikbeiräte sind entstanden. Durch die Bemühungen zur Qualitätsentwicklung und der entsprechenden Zertifizierung sind in den letzten Jahren weitere institutionelle Einflussmöglichkeiten der Betroffenen eingeführt worden, etwa einrichtungsinterne Beschwerdewege oder ein »Meckerkasten«.

In vielen Einrichtungen gibt es Versammlungen, in denen Betroffene zumindest bei kleineren Entscheidungen Mitspracherechte eingeräumt werden. Das sind dann sogenannte Vollversammlungen, Stationsversammlungen oder Ähnliches. Dort erfolgt meistens eine Abstimmung über interne Abläufe wie die Planung einer Urlaubsreise oder des Essensplans für die nächste Woche. Schon bei etwas gewichtigeren Entscheidungen, beispielsweise die Raumgestaltung oder die Frequenz bestimmter therapeutischer Gruppen, behält sich die Institution meistens das alleinige Entscheidungsrecht vor. Betroffenenvertreter machen zu Recht darauf aufmerksam, dass ein Mitspracherecht nur dann diesen Namen verdient, wenn sie auch an den für sie bedeutsamen Entscheidungen beteiligt werden. Es gibt viele lokale Beispiele, die zeigen, welche Partizipationsmöglichkeiten sich anbieten – und auch welche Vorteile die vermehrte Beteiligung für die Betroffenen selbst und für die psychiatrischen Institutionen haben.

BEISPIEL 1

In einem Sozialpsychiatrischen Dienst sind bei den Vorstellungsgesprächen für Neueinstellungen je zwei Mitarbeiter und zwei Klienten vertreten. Die Klientenvertreter wurden dazu zuvor von der Gesamtgruppe aller Klienten delegiert. Sie haben ein Vetorecht, was aber noch nie genutzt wurde, da die Einschätzungen der Mitarbeiter und die der Besucher bisher sehr ähnlich waren.

BEISPIEL 2

Eine Nutzerbefragung in einer Tagesstätte ergibt, dass die Klienten auch Öffnungszeiten am Abend und am Wochenende wünschen. Da dies aus Arbeitszeitgründen von den Mitarbeitenden nicht realisiert werden kann, wird das Anliegen abgelehnt. Daraufhin machen die Besucher der Tagesstätte den Vorschlag, die zusätzlichen Öffnungszeiten in Eigenregie zu organisieren. Aufseiten der Mitarbeiter gibt es zunächst viele Bedenken (Versicherungsrecht, Unzuverlässigkeit der Besucher), trotzdem wird in Zusammenarbeit mit zwei Laienhelfern die zusätzliche Öffnung ausprobiert. Zwei Jahre später ist das zusätzliche Angebot nicht mehr wegzudenken. Die Mitarbeiter berichten, dass die Besucher sich seither auch an anderen Entscheidungen und Angeboten viel intensiver beteiligen.

Auf der Seite der professionell Tätigen gibt es vielfältige Bedenken und Befürchtungen, was geschehen könnte, wenn mehr Mitbestimmung eingeräumt würde. So sprachen sich etwa die Mitarbeiter eines größeren sozialpsychiatrischen Trägers gegen eine interne Beschwerdestelle aus, weil sie unberechtigte Beschwerden ihrer Klienten befürchteten. In einer therapeutischen Wohngemeinschaft wurde der Vorschlag der Bewohner, die Bezugsperson aus dem Team in Zukunft selbst wählen zu können, abgelehnt, weil einzelne Mitarbeiter befürchteten, sie könnten nie gewählt werden. Viele dieser Befürchtungen sind unberechtigt und entstehen, weil Veränderungen nicht nur von Klienten, sondern oft eben auch von Mitarbeitenden als beängstigend erlebt werden. Institutionen, deren Mitarbeiter viele Bedenken haben, sind natürlich defensiv-vorsichtig und bieten nur schleppend institutionelle Mitbestimmungsmöglichkeiten an.

Ein weiteres Beispiel für eine wenn auch eher indirekte Form der Beteiligung auf institutioneller Ebene sind Nutzerbefragungen. In sehr vielen Einrichtungen sind in den letzten Jahren, teils im Rahmen des Qualitätsmanagements, solche Befragungen eingeführt worden. Sie sind eine sinnvolle Möglichkeit, die Bedürfnisse der Klientinnen und Klienten besser zu ermitteln und das professionelle Hilfeangebot besser darauf abzustimmen. Voraussetzung ist jedoch, die Befragungen werden richtig eingesetzt und durchgeführt. Unter dem Empowermentblickwinkel gibt es einige wichtige Punkte, die berücksichtigt werden müssen:

Relevanz: Die Fragen sollten sich auf jene Bereiche beziehen, die von den Nutzern auch tatsächlich für relevant gehalten werden. Schwierige Themen wie Aufklärung über Nebenwirkungen oder die Beurteilung von Zwangsmaßnahmen müssen angemessen berücksichtigt werden.

Veränderungsorientierung: Nutzerbefragungen sollten so erfolgen, dass die Ergebnisse auch tatsächlich zu Veränderungen der psychiatrischen Arbeit führen können. Das bedeutet unter anderem, dass die befragten Einheiten nicht zu groß sein dürfen, beispielsweise darf die Auswertung nicht für die ganze Klinik erfolgen, sondern sollte stationsbezogen stattfinden.

Form: In vielen Fällen sind Fragebögen keine geeignete Form der Nutzerbefragung. Dies gilt für viele Wohnheime. Oftmals sind persönliche Gespräche (nicht mit der direkten Bezugsperson!) vorzuziehen oder auch Fokusgespräche in Gruppen (nach Möglichkeit mit speziell geschulten Mitarbeitern). Es spricht einiges für den Einsatz eher qualitativer Methoden, da dabei Nachfragen und Konkretisierungen möglich und die Ergebnisse leichter zu interpretieren sind als bei rein quantitativen Befunden. In Modellprojekten werden Peers für solche Befragungen eingesetzt, was sich als ausgesprochen sinnvoll erwiesen hat (Zuaboni & Werder 2013).

Entscheidend bei all diesen Veränderungen ist die Haltung der professionell Tätigen, vor allem der Leitungsebene. Sind Nutzerbefragungen eine unliebsame Pflichtaufgabe im Rahmen des Qualitätsmanagements? Dann werden sie wahrscheinlich unengagiert durchgeführt und die Ergebnisse werden »abgelegt«, ohne dass sie Auswirkungen auf die zukünftige Arbeit haben. Können die Mitarbeitenden und die Leitungsebene mit Kritik umgehen? Andernfalls besteht die Gefahr, dass die Erhebung so erfolgt, dass positive Ergebnisse herauskommen müssen, oder es werden negative Ergebnisse »schöngeredet«. In vielen Befragungen zeigen sich ausgesprochen hohe Zufriedenheitswerte von 90 oder gar 95 Prozent. Dass sich in diesen Zahlen tatsächlich die wahre Zufriedenheit widerspiegelt, darf zuweilen bezweifelt werden.

Auch zu überinstitutionellen Gremien haben Betroffene in den letzten Jahren vermehrt Zugang bekommen. So verfügen Betroffenenvertreter mittlerweile in den meisten Regionen über Sitz und Stimme in Psychosozialen Arbeitsgemeinschaften (PSAG), Gemeindepsychiatrischen Verbünden (GPV) und anderen Gremien. Ähnliches gilt für Gremien und Initiativen auf nationaler Ebene. So wird der Bundesverband der Psychiatrie-Erfahrenen (BPE) zunehmend mehr um Stellungnahmen bei politischen Prozessen gebeten und ist an bundesweiten Ausschüssen beteiligt.

Nach einer anfänglichen Euphorie auf beiden Seiten ist hier und da allerdings eine gewisse Ernüchterung eingekehrt. Zu Beginn der Empowermentbewegung wurden alle Angebote zur Gremienbeteiligung von den Betroffenenvertretern positiv aufgenommen. Inzwischen hat sich aber gezeigt, dass eine wirkungsvolle Vertretung von Nutzerinteressen nur unter bestimmten Bedingungen möglich ist:

- Die Mitspracherechte müssen ausreichend sein.
- Das Gremium muss bereit sein, sich auf die besonderen Bedürfnisse der Betroffenenvertreter einzustellen (etwa nur eingeschränkt die Fachsprache zu verwenden).

- Das Gremium muss sich mit nutzerrelevanten Fragestellungen beschäftigen.

Aber auch aufseiten der Gremien, die sich für Betroffene geöffnet haben, hat sich teilweise Ernüchterung breitgemacht. Nicht jede psychiatrieerfahrene Person ist ein guter Betroffenenvertreter. Wenn der Rückhalt in einer größeren Betroffenengruppe oder Selbsthilfeorganisation fehlt, besteht die Gefahr, dass lediglich individuelle Interessen vertreten werden. Meistens ist ein gewisser Abstand von der eigenen Erfahrung notwendig, um sich für die Interessen einer größeren Gruppe einsetzen zu können.

Wenn von professioneller Seite den Betroffenen mehr Ressourcen zur Verfügung gestellt werden, ist in Zukunft sicher noch eine bessere Beteiligung möglich. Dazu gehört auch eine finanzielle Entschädigung der geleisteten Arbeit. Der Umstand, dass in vielen Gremien der Betroffenenvertreter das einzige ehrenamtliche Ausschussmitglied ist, ist nicht hinnehmbar. Durch eine finanzielle Entschädigung würde den Betroffenen auch die Möglichkeit von Fortbildung, Supervision etc. eröffnet. Gleichzeitig müssen sich die Vertreter um einen demokratischen Rückhalt bemühen, um anerkannt zu sein.

Beschwerdestellen und Patientenfürsprecher

Zwei mittlerweile häufige Formen der Einflussmöglichkeit durch Betroffene sind Beschwerdestellen und Patientenfürsprecher. Beschwerdestellen können für eine bestimmte Region, für eine Einrichtung oder für einen Träger zuständig sein. Inzwischen gibt es verschiedene Beschwerdestellen in Deutschland, viele von ihnen sind »quadrologisch« besetzt, das heißt, es arbeiten Betroffene, Angehörige, Fachpersonen sowie Laien (ehrenamtliche Helfer) mit. Diese Besetzung ist sehr wichtig, da Betroffene überhaupt nur so das nötige Vertrauen entwickeln, um sich an eine solche Stelle zu wenden. Diese Stellen nehmen die Beschwerden auf, holen die Stellungnahmen der beteiligten Personen ein, bemühen sich um eine betroffenenorientierte Lösung des Problems und geben diesen, falls nötig, auch Informationen über weitere rechtliche Möglichkeiten. Längst gibt es einige Beschwerdestellen, die bereits auf jahrzehntelange Arbeit und Erfahrung zurückblicken können.

Patientenfürsprecher sind in vielen Bundesländern gesetzlich vorgeschrieben. Sie sollen als Ansprechperson für Betroffene zur Verfügung stehen, Beschwerden entgegennehmen und eine konstruktive Problemlösung suchen. Viele Patientenfürsprecher sind direkt in den Kliniken anzutreffen, was Vor- und Nachteile hat. In vielen Fällen wird dadurch das nötige Vertrauen der Betroffenen erschwert.

Patientenfürsprecher arbeiten meistens ehrenamtlich. Dabei kann es sich wieder um Angehörige, Betroffene, Fachpersonen und Laien handeln. Zentral für die wirkungsvolle und klientenorientierte Arbeit ist ihre Neutralität. Leider gibt es offensichtliche Fälle, in denen die Neutralität nicht gewährleistet ist. Beispielsweise wenn die Funktion des Patientenfürsprechers von einem pensionierten ehemaligen Oberarzt übernommen wird, den einige Patienten der Klinik sogar noch als ihren Behandler erlebt haben. Die Kritik von der Betroffenenseite, solche Patientenfürsprecher hätten eine reine Alibifunktion, ist vermutlich nicht unberechtigt. Empowermentmöglichkeiten werden durch solche Besetzungen eher verhindert als unterstützt.

Mut zur Fehlerkultur

Die hier beschriebenen Instrumente wie Patientenfürsprecher oder Nutzerbefragungen setzen voraus, dass Leitungsebene und Mitarbeitende mit Fehlern umgehen können, andernfalls haben diese Instrumente eine reine Alibifunktion. In unserer Gesellschaft gibt es bisher eine eher negative Fehlerkultur: Fehler sollen vermieden werden, und wenn sie doch gemacht werden, versucht man sie zu vertuschen. Fehler werden nicht offen angesprochen und reflektiert. Wir haben zu viel Angst, etwa vor dem negativen Feedback von Kollegen oder vor unserer Selbstbewertung. Verschiedene Branchen in der freien Wirtschaft beschäftigen sich schon länger mit dem Aufbau einer positiven Fehlerkultur. Das gilt beispielsweise für die Fluggesellschaften, die sich ein Vertuschen von Fehlern nicht erlauben können, da ihre Flugzeuge schlimmstenfalls abstürzen würden.

Eine positive Fehlerkultur zeichnet sich dadurch aus, dass es zwischen Kollegen und Vorgesetzten genug Vertrauen gibt, um über Fehler sprechen zu können. Wer einen Fehler gemacht hat, kann diesen zugeben und überlegen, wie er in Zukunft vermieden werden kann. Wer einen Fehler bei jemand anderem bemerkt, traut sich diesen offen und konstruktiv anzusprechen. Wer auf einen Fehler angesprochen wird, fühlt sich nicht grundlegend in seiner Person infrage gestellt, sondern kann das eigene Verhalten reflektieren und Verbesserungsvorschläge entgegennehmen. Selbst Vorgesetzten gegenüber können Mitarbeitende Fehler zugeben, ohne negative Konsequenzen zu befürchten. Und auch Vorgesetzte selbst werden in einer solchen Kultur auf Fehler angesprochen und können konstruktiv mit Rückmeldungen ihrer Mitarbeitenden umgehen. So würde es jedenfalls eher gelingen, Klienten gegenüber Fehler einzugestehen und sich ggf. dafür zu entschuldigen.

SELBSTREFLEXION

Wann haben Sie das letzte Mal einen Fehler gemacht und mit Kollegen offen darüber gesprochen? (Bedenken Sie: Jeder Mensch macht Fehler. Unser letzter liegt sicher nicht Monate oder Jahre zurück.)

In vielen psychiatrischen Einrichtungen herrscht aber leider noch nicht die gerade beschriebene positive Fehlerkultur. Diese Einrichtungen tun sich mit dem Feedback von Patientenseite schwer, weshalb der Fachseite von den Betroffenen eine »Rückmeldescheu« (Prins 2001) vorgehalten wird. Solange aber keine positive Feedbackkultur herrscht, so lange besteht die Gefahr, dass die Rückmeldungen von Betroffenen nicht wirklich ernst genommen werden. Es ist beispielsweise sehr leicht, die Kritik einer Borderlineklientin mit dem Hinweis auf ihre Erkrankung abzutun, und sehr viel schwerer, sich ernsthaft damit auseinanderzusetzen. In der psychiatrischen Versorgung gibt es eine ganze Reihe spezifischer Fehler, die im Alltag immer wieder vorkommen: Da wird ein Patient mit einem Medikament behandelt, dessen Unverträglichkeit sich schon bei einem vorhergehenden Klinikaufenthalt erwiesen hatte. Es findet eine Zwangsmaßnahme statt, die durch eine einfache Intervention hätte vermieden werden können. Mitarbeiter versuchen, einen Klienten von einer Entscheidung abzubringen, die dieser getroffen hat. Später stellt sich aber gerade diese Entscheidung als die sinnvollste heraus.

SELBSTREFLEXION

Wann haben Sie sich das letzte Mal bei einem Ihrer Klienten für einen Fehler entschuldigt?

Schluss und Ausblick: Neue Rollenidentität der professionell Tätigen

Vielleicht ist dem einen oder der anderen beim Lesen des Buches manchmal ein bisschen mulmig geworden, weil er oder sie gespürt hat, dass durch eine Empowerment- und Recoveryorientierung vieles in der professionellen Arbeit anspruchsvoller wird, etwa wenn wir das Selbstbestimmungsrecht von Klienten möglichst lange wahren wollen oder unsere eigene Stigmaneigung kritisch reflektieren. Das Recovery- und Empowermentkonzept wirbelt auch das klassische Rollenverständnis von professionell Tätigen grundlegend durcheinander. Klienten und professionell Helfende rücken näher zusammen und werden zu möglichst gleichberechtigten Partnern im Behandlungs- bzw. Unterstützungsprozess. Die klassische Unterscheidung von »gesund« (Helfende) und »krank« (Klientinnen und Klienten) löst sich durch ein verändertes Verständnis psychischer Gesundheit teilweise auf. Zudem führt der Einbezug von Peers in die sozialpsychiatrische Arbeit dazu, dass klassisch professionell Tätige genauer reflektieren müssen, wodurch ihre Tätigkeit eigentlich wirkungsvoll ist.

Eine der zentralen Fragen – und mit ihr möchte ich dieses Buch beenden – könnte man etwas plakativ in dem Slogan zusammenfassen: »Wie viel Nähe verträgt die professionelle Distanz?« Studien zur Peerarbeit zeigen uns, dass Peer-to-Peer-Begleitung ähnlich hilfreich ist wie professionelle Unterstützung. Peers sind unter anderem hilfreich, weil sie sich nicht hinter einer professionellen Rolle verstecken, sondern sich mit ihren eigenen Erfahrungen einbringen – sowohl mit ihren positiven Genesungs- als auch mit ihrer eigenen Krisenerfahrung. Professionell Tätige haben hingegen oft gelernt, bewusst eine professionelle Distanz zu wahren und sich mit ihren eigenen Erfahrungen gar nicht oder nur wenig einzubringen. Studien zur Frage, welches professionelle Verhalten Betroffene als hilfreich empfinden, zeigen uns jedoch, dass gerade jene Fachleute als unterstützend erlebt werden, die als Personen spürbar sind und ggf. sogar zu unkonventionellem Verhalten bereit sind (Baer u.a. 2003; Borg & Kristiansen 2004).

Es stellt sich also die Frage, wie Fachpersonen bei aller nötigen Berücksichtigung ihrer Rolle auch zu einer wirklichen Begegnung mit ihren Klientinnen und Klienten in der Lage sind, in der sie sich auch mit ihren eigenen Erfahrungen einbringen. Natürlich ist es sinnvoll, Peers zukünftig vermehrt in die psychiatrische Arbeit zu integrieren. Doch auch klassisch professionell Tätige haben eine »Peerfähigkeit«, dann nämlich, wenn sie ihre eigenen Erfahrungen mit psychischen Krisen gut reflektieren und sie zum Verständnis ihrer Klienten nutzen und ggf. sogar in den Austausch einbringen. Dabei kann es sich um die Bewältigung von Alltagsschwierigkeiten genauso handeln wie um eigene Krisenerfahrungen. Klienten kommen so in die Lage, die oft vorhandene Idealisierung professionell Tätiger zu reduzieren, was oft die andere Seite des eigenen mangelnden Selbstwertgefühls darstellt. Zudem erleichtert die Selbstoffenbarung professionell Tätiger den Aufbau einer tragfähigen Arbeitsbeziehung und eines Vertrauensverhältnisses. Die Verantwortung für die eigenen Grenzen darf bei alldem nicht an den Klienten delegiert werden, sondern Fachpersonen sollten selbst die Verantwortung dafür übernehmen, ihre Grenzen zu achten und sich für die Wahrung ihrer Grenzen einsetzen.

Die Peerbewegung kann klassisch professionell Tätige ermutigen, ihre eigenen Erfahrungen besser zu reflektieren und eine Beziehungsgestaltung mit ihren Klienten zu pflegen, in der auch Gemeinsamkeiten benannt werden können, statt Unterschiede herauszustellen.

Unterschiede sollten nicht betont, sondern Ähnlichkeiten wahrgenommen und reflektiert werden, natürlich ohne Unterschiede zu verwischen oder die Erfahrungen von psychiatrieerfahrenen und nicht psychiatrieerfahrenen Menschen gleichzusetzen.

In vielen psychiatrischen Teams herrscht auch heute noch eine Kultur, in der Fachpersonen ihre eigene Krisenerfahrung zu verbergen versuchen, anstatt sich mit ihrer eigenen Verletzlichkeit einzubringen und diese auch als Qualifizierung für ihre Tätigkeit zu verstehen. Teams sollten eine Kultur etablieren, in der Mitarbeitende offen mit ihren eigenen Krisen umgehen können. Immer wieder bin ich in Teamentwicklungen und Supervisionen verwundert, wie schwer uns professionell Tätigen die Perspektivenübernahme und der Rollenwechsel mit unseren Klienten fallen. Würde uns das besser gelingen, dann wäre es leichter, einen großen Teil des Verhaltens der Klientinnen und Klienten als sinnhaft zu verstehen, wir könnten nämlich erkennen, dass wir uns in ähnlichen Situationen nicht viel anders verhalten würden. Nötig ist es auch, alles zu unterlassen, was unnötige Distanz zum Klienten aufbaut. Dazu gehören etwa Status- und Abgrenzungssymbole wie der weiße Kittel, den es in verschiedenen Kliniken immer noch gibt.

In einer Psychiatrie, die ich mir wünsche, treffen sich zunächst einmal Menschen, die sich dort in verschiedenen Rollen begegnen, aber immer um das gemeinsame Menschsein wissen. Wenn wir uns dem anderen näher fühlen, sind wir zu mehr Akzeptanz und Mitgefühl in der Lage und können ihn leichter so behandeln, wie wir in einer Krisensituation vielleicht selbst auch behandelt werden möchten, nämlich mit Respekt und auf Augenhöhe.

Literatur

ADERHOLD, V. (2007): Partizipativer Umgang bei der Neuroleptika-Behandlung. Subjektorientierte kooperative Psychopharmakotherapie psychotischer Menschen. In: KNUF, A.; OSTERFELD, M.; SEIBERT, U. (Hg.): Selbstbefähigung fördern. Empowerment und psychiatrische -Arbeit. Bonn, S. 183–210.

AMERING, M.; SCHMOLKE, M. (2012). Recovery. Das Ende der Unheilbarkeit. Köln.

AMERING, M. u.a. (1999): Psychiatric Wills of Mental Health Professionals: A Survey of Opinions Regarding Advance Directives in Psychiatry. In: *Soc. Psychiatry Psychiatr. Epidemiol.*, 34, S. 30–34.

AMSTUTZ, M.; NEUENSCHWANDER, M.; MODESTIN, J. (2001): Burnout bei psychiatrisch tätigen Ärztinnen und Ärzten. In: *Psychiatrische Praxis,* 28, S. 163–167.

ANTONOVSKY, A. (1997): Salutogenese. Zur Entmystifizierung der Gesundheit. Tübingen.

BAER, N.; DOMINGO, A.; AMSLER, F. (2003): Diskriminiert. Gespräche mit psychisch kranken Menschen und Angehörigen zur Qualität des Lebens. Bonn.

BEHRENDT, B. (2009): Meine persönlichen Warnsignale. Ein psychoedukatives Therapieprogramm zur Rezidivprophylaxe bei schizophrener und schizoaffektiver Erkrankung. Tübingen.

BEHRENDT, B.; SCHAUB, A. (2005): Handbuch Psychoedukation und Selbstmanagement. Tübingen.

BOCK, T. (2017): Eigensinn und Psychose. »Noncompliance« als Chance. Neumünster.

BOCK, T. (2020): Menschen mit Psychose-Erfahrung begleiten. Köln.

Borg, M.; Kristiansen, K. (2004): Recovery-oriented professionals: Helping relationships in mental health services. In: *Journal of Mental Health*, 13, 5, S. 493 – 505.
Burr, C.; Schulz, M.; Winter, A.; Zuaboni, G. (2013): Recovery in der Praxis. Voraussetzungen, Interventionen, Projekte. Köln.
Buck, D. (2014): Auf der Spur des Morgensterns. Psychose als Selbstfindung. Neumünster.
Corrigan, P. W.; Lundin, B. (2001): Don't call me nuts. Coping with the stigma of mental illness. Chicago.
Deegan, P. (1996a): Recovery and the conspiracy of hope. In: http://d2owqiibvy9b23.cloudfront.net/resources/resources/000/000/614/original/Deegan_Recovery_and_the_Conspiracy_of_Hope.pdf?1468370243.
Deegan, P. (1996b): Recovery as a journey of the heart. In: *Psychiatric Rehabilitation Journal*, 19, 3, S. 91 – 98.
Deegan, G. (2003): Discovering Recovery. In: *Psychiatric Rehabilitation Journal*, 26, 4, S. 368 – 376.
Dietz, A.; Pörksen, N.; Voelzke, W. (Hg.) (1998): Behandlungsvereinbarungen. Bonn.
Elwyn, G. u. a. (2001): Shared-decision-making observed in clinical practice: Visual displays of communication sequences and patterns. In: *J. Eval. Clin. Pract.*, 7, S. 211–221.
Forsyth, J. P.; Eifert, G. H. (2018): Mit Ängsten und Sorgen erfolgreich umgehen. Göttingen.
Greve, N.; Osterfeld, M.; Diekmann, B. (2017): Umgang mit Psychopharmaka. Bonn.
Hamann, J.; Kissling, W. (2005): Shared Decision Making bei der Therapie schizophrener Patienten. In: Härter, M.; Loh, A.; Spies, C. (Hg.): Gemeinsam entscheiden – erfolgreich behandeln. Neue Wege für Ärzte und Patienten im Gesundheitswesen. Köln, S. 175 – 190.
Hammer, M.; Plössl, I. (2017): Irre verständlich. Köln.

Hermer, M. (2001): Ressourcenorientierte Psychotherapie – Notwendigkeit, Widerstände, Grenzen. In: Krisor, M.; Pfannkuch, H.; Wunderlich, K. (Hg.): Gemeinde, Alltag, Ressourcen – Aspekte einer subjektorientierten Psychiatrie. Lengerich.

Herriger, N. (2020): Empowerment in der Sozialen Arbeit. Eine Einführung. Stuttgart.

Jensen, M. u.a. (2014): Diagnosenübergreifende Psychoedukation. Köln.

Jelley, R.; Elmer, O. M. (2005): HOPE – handlungsorientierte Psychoedukation bei bipolaren Störungen. Ein Gruppentherapieprogramm zur Krankheitsbewältigung. Tübingen.

Kast, V. (2013): Freude, Inspiration, Hoffnung. Ostfildern.

Ketelsen, R.; Schulz, M.; Zechert, C. (2004): Seelische Krise und Aggressivität. Der Umgang mit Deeskalation und Zwang. Bonn.

Knuf, A. (2004): Vom demoralisierenden Pessimismus zum vernünftigen Optimismus. Eine Annäherung an das Recovery-Konzept. In: *Soziale Psychiatrie*, 1, S. 38 – 40.

Knuf, A. (Hg.) (2012): Gesundung ist möglich. Boderline-Betroffene berichten. Köln.

Knuf, A. (2016): Sei nicht so hart zu dir selbst. Selbstmitgefühl in guten und in miesen Zeiten. München.

Knuf, A. (2018): Scham, Minderwertigkeit und Selbsthass überwinden. In: Kerbe, 4, S. 41–43.

Knuf, A. (2020): Umgang mit Gefühlen in der psychiatrischen Arbeit. Köln.

Knuf, A.; Bridler, S. (2008): Recovery konkret. In: *Psychosoziale Umschau*, 4, S. 26–29.

Knuf, A.; Gartelmann, A. (Hg.) (2014): Bevor die Stimmen wiederkommen. Vorsorge und Selbsthilfe bei psychotischen Krisen. Bonn.

Knuf, A.; Hammer, M. (2013): Die Entdeckung der Achtsamkeit in der Arbeit mit psychisch erkrankten Menschen. Köln.

Knuf, A.; Osterfeld, M.; Seibert, U. (2007): Selbstbefähigung fördern. Empowerment und psychiatrische Arbeit. Bonn.

Knuf, A.; Tilly, C. (2016): Borderline: Das Selbsthilfebuch. Köln.

Kremer, G.; Schulz, M. (2020): Motivierende Gesprächsführung in der Psychiatrie. Bonn.

Lauber, C.; Nordt, C.; Braunschweig, C.; Rössler, W. (2006): Do mental health professionals stigmatize their patients? In: *Acta Psychiatr. Scand.*, 113 (Suppl. 429), S. 51–59.

Linehan, M. (1996): Trainingsmanual zur Dialektisch-Behavioralen Therapie der Borderline-Persönlichkeitsstörung. München.

Loh, A. u. a. (2005). Miteinander statt nebeneinander – Der Patient als Partner in der Depressionsbehandlung. In: Härter, M.; Loh, A.; Spies, C. (Hg.): Gemeinsam entscheiden – erfolgreich behandeln. Neue Wege für Ärzte und Patienten im Gesundheitswesen. Köln, S. 165–174.

Löhr, M.; Schulz, M.; Nienaber, A. (2019): Safewards – Sicherheit durch Beziehung und Milieu. Köln.

Luoma, J.; Hayes, S.; Walser, R. (2009): ACT-Training. Acceptance & Commitment Therapie: ein Handbuch. Göttingen.

Mahler, L.; Jarchov-Jadi, I.; Montag, C.; Gallinat, J. (2014): Das Weddinger Modell: Resilienz- und Ressourcenorientierung im klinischen Kontext. Köln.

Mario, A. u. a. (2009): Deeskalationsstrategien in der psychiatrischen Arbeit. Bonn.

Matzat, J. (2004): Selbsthilfegruppen für psychisch Kranke – Ergebnisse einer Umfrage bei Selbsthilfe-Kontaktstellen. In: Deutsche Arbeitsgemeinschaft Selbsthilfegruppen (Hg.): Selbsthilfegruppen-jahrbuch 2004. Gießen.

Podvoll, E. (1997): Verlockung des Wahnsinns. Therapeutische Wege aus entrückten Welten. München.

Prins, S. (2001): »Gut, dass wir mal darüber sprechen!« Wortmeldungen einer Psychiatrie-Erfahrenen. Neumünster.

Ralph, R. u. a. (2004): The recovery advisory group recovery model. In: Corrigan, R.; Ralph, R. (Hg.): Recovery in mental illness. Washington.

Rupp, M. (2018): Psychiatrische Krisenintervention. Köln.

Schlimme, J. E.; Brückner, B. (2017): Die abklingende Psychose. Verständigung finden, Genesung begleiten. Köln.

Schlimme, J. E.; Scholz, T.; Seroka, R. (2019): Medikamentenreduktion und Genesung von Psychosen. Köln.

Seligman, M. (2016): Erlernte Hilflosigkeit. Weinheim.

Shazer, S. de (2012): Wege der erfolgreichen Kurztherapie. Stuttgart.

Terzioglu, P. (2005): Die gelungene Arzt-Patient-Kooperation in der psychiatrischen Praxis. Bonn.

Terzioglu, P.; Zaumseil, M. (2007): Wie kann eine partizipative Zusammenarbeit zwischen Patienten und Ärzten gelingen? Das Konzept der geteilten Entscheidungen. In: Knuf, A.; Osterfeld, M.; Seibert, U. (Hg.): Selbstbefähigung fördern. Empowerment und psychiatrische Arbeit. Bonn, S. 211–227.

Utschakowski, J.; Sielaff, G.; Bock, T.; Winter, A. (Hg.): (2016): Experten aus Erfahrung. Peerarbeit in der Psychiatrie. Köln.

Weiss, T.; Haertel-Weiss, G. (2008): Familientherapie ohne Familie. Kurztherapie mit Einzelpatienten. München.

Zinkler, M.; Mahlke, C.; Marschner, R. (Hg.) (2019): Selbstbestimmung und Solidarität. Unterstützte Entscheidungsfindung in der psychiatrischen Praxis. Köln

Zuaboni, G.; Werder, B. (2013): Von der Patientin zum Profi. In: Burr, C.; Schulz, M.; Winter, A.; Zuaboni, G. (Hg.): Recovery in der Praxis. Köln, S. 113–125.

Internetadressen und Onlinematerialien

Betroffenenorganisationen

Bundesverband der Psychiatrie-Erfahrenen (BPE e. V.): www.bpe-online.de

Europäisches Netzwerk psychiatrieerfahrener Menschen (englischsprachig): www.enusp.org

Weltweites Netzwerk psychiatrieerfahrener Menschen (englischsprachig): www.wnusp.net

National Empowerment Center (USA): www.power2u.org

Nationale Kontakt- und Informationsstelle zur Anregung und Unterstützung von Selbsthilfegruppen: www.nakos.de

Netzwerk Stimmenhören e.V: www.netzwerk-stimmenhoeren.de

Peerarbeit: Experten durch Erfahrung in der Psychiatrie EX-IN Deutschland e. V., dort findet sich auch eine Liste mit den lokalen Ausbildungsgruppen: www.ex-in.de

Familien-Selbsthilfe Psychiatrie, www.bapk.de

Materialien

Es gibt zahlreiche Materialien und Informationsmedien, die für Fachpersonen, Betroffene und Angehörige hilfreich sein können. Dazu zählen zum Beispiel die Behandlungsvereinbarung, der Krisenpass oder die Patientenverfügung und Vorsorgevollmacht, aber auch weitere Informationen über Empowerment, Recovery oder einem nutzerorientieren Umgang mit Medikamenten. Auf den folgenden Internetseiten finden Sie solche Materialien und kostenlose Veröffentlichungen:

Deutsche Gesellschaft für soziale Psychiatrie:
www.dgsp-ev.de/veroeffentlichungen/broschueren.html

Bundesgesundheitsministerium:
www.bundesgesundheitsministerium.de/patientenverfuegung.html

Psychiatrie Verlag:
www.psychiatrie-verlag.de/nuetzliche-materialien-zum-download/

Schweizer Stiftung Pro Mente Sana: www.promentesana.ch/de/wissen/selbsthilfe/werkzeuge-eigene-selbsthilfe.html

Verschiedenste, sehr umfangreiche Materialien zu Recovery und Empowerment, sowohl Materialien für Betroffene wie auch Schulungsmaterialien für Fachpersonen:
www.pflege-in-der-psychiatrie.eu/recovery-neu.htm

Verschiedene Selbsthilfebögen und Krisenpässe sowie weiterführende Informationen über Recovery und Empowerment als pdf zum Gratis-Download: www.andreas-knuf.de.

Podcast

Der Podcast »Hoffnung hilft heilen«: www.hoffnunghilftheilen.de (Youtube und überall, wo es Podcasts gibt).